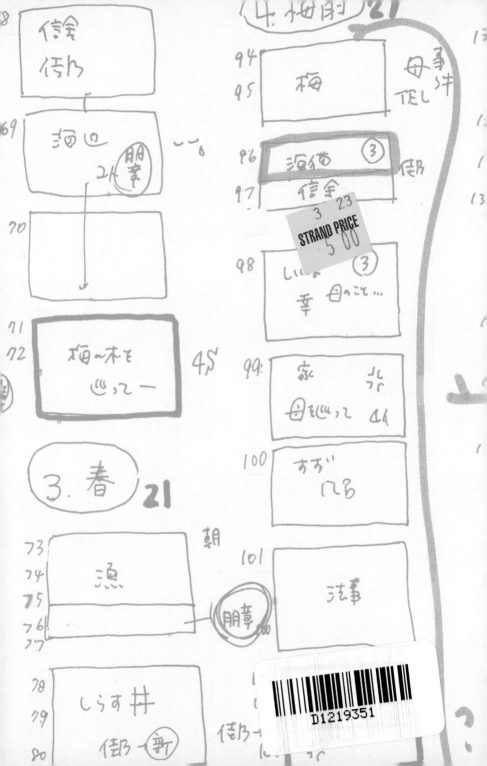

拍电影时
我在
想的事

〔日〕是枝裕和 著

褚方叶 译

南海出版公司

新经典文化股份有限公司
www.readinglife.com
出　品

目　录

1　　　后记般的前言

5　　　第一章　用分镜图完成的处女作
　　　　1995—1998

39　　　第二章　青春期·挫折
　　　　1989—1991

73　　　第三章　执导与作假
　　　　1992—1995

95　　　第四章　非黑　非白
　　　　2001—2006

137　　　第五章　失去亲人，生活何以为继
　　　　2004—2009

207 第六章 世界各大电影节巡礼

229 第七章 来源于电视的电视论
2008—2010

265 第八章 电视剧能实现的事，以及它的局限
2010—2012

287 第九章 作为料理人
2011—2016

339 终章 献给今后立志拍电影的人

351 后记 连锁

353 是枝裕和年表

后记般的前言

　　我不喜欢谈论自己的作品，而且也不擅长，一直以来尽量避免这一点，但是受人邀请，一不小心就出版了这本书。当然，我并非要在此连篇累牍地抱怨，而是怀着感激的心情写下了这篇前言。

　　我为什么要避免谈论自己的作品呢？原因不一而足，其中最大的原因是，我深深地认识到自己开始有创作意识的时候，电视和电影值得大谈特谈的时代早已结束。

　　说起电视，我想起了工作二十七年的 TV MAN UNION。二十世纪六十年代，TBS（东京广播电视台）这个舞台催生出众多电视栏目，公司创立初期的人员都是对此怀抱着美好的憧憬，才投身于电视创作。而我直到八十年代才进入电视行业，那时探究"电视为何物"、大胆制作各种电视类型的时代早已落下帷幕。

　　正因如此，当撰稿人堀女士、三岛社的三岛先生和星野女士出现在我面前，兴致勃勃地听我谈论电影的事情时，我反而心怀歉疚，产生了疑惑：像我这样的创作者讲述自己未曾经历过的历史和历史印迹，究竟有没有意义？

然而离开 TV MAN UNION 之后，我重新认识到，讲述对我的创作产生深刻影响的电视、自己的出处，以及对留下这些影响的人的爱，对目前的我来说或许是必要的。这是为了继续迈步向前。

关于电影，我仍然心怀迷茫和踌躇，这样的心情现在依然存在。我并不是纯粹的电影人，这一点即使别人不指出来，我也认识到了。

我讲述的电影语言，与以电影为母语的创作者所讲述的不同，是带着电视口音的方言。也就是说，在语法上是不规范的。对电视的养育之情，我心怀感激，也坦率地承认自己"电视人"的身份。与此同时，我对目前所处的环境感到了某种责任。若是被邀请谈论电视，我会积极发言，但对电影始终怀有一定的顾虑。

所以从一开始我就决定，在本书中，我不是作为电影导演，而是以电视导演的身份，通过自己拍摄的作品，从内部视角出发讲述与现今的电影创作以及电影节相关的事情。

我相信，这样的做法会收到意想不到的效果。

另外还有一点。二十年来我参加了形形色色的电影节，自己的认识也产生了很大变化。我意识到"历史并没有结束"，拥有百年历史的电影长河在我眼前悠悠展开。这条河流没有干涸，而且今后还会不断变换姿态，继续向前奔涌。

二十世纪八十年代，很多人说："所有的电影都拍完了。"那么对于在那时候度过青春期的人来说，我现在拍的究竟是不是电影呢？我经常这样问自己。但是，我想克服这份"心虚"和血缘的牵绊，只管努力成为这条大河中的一滴。如果这本书能够将我感受到的敬畏和憧憬传达给读者，哪怕只有一点点，那它就不是没有意义的。

是枝裕和

第一章

用分镜图完成的处女作
1995 — 1998

《幻之光》1995

《下一站，天国》1998

其实，

我本想用原创剧本

拍摄处女作

幻之光

1995

选角通常依赖直觉

《幻之光》[1] 改编自宫本辉 [2] 先生的同名小说，也是我的电影处女作，关于这部作品的改编，有不少复杂的记忆。

忘了是一九九二年什么时候的事了，当时我所属的 TV MAN UNION[3] 的制片人合津直枝 [4] 女士对我说："有兴趣把这部作品搬上银幕吗？刚好跟你去年拍的纪录片有一定的关联。"这就是一切的缘起。

合津女士所说的纪录片，指的是在富士电视台《NONFIX》[5] 栏目播出的《但是……在福利削减的时代》。我以福利这个社会题材为切入口，将视角放在因丈夫自杀而服丧的妻子身上，这刚好与小说《幻之光》描述的主题相似。说起宫本辉先生的作品，比起《幻之光》，我更喜欢《锦绣》[6] 和《繁星的悲伤》[7]，但当时听说《锦绣》的电影改编权已经在鹤桥康夫导演手中。

在这之前，我曾与合津女士一起制作过一部在关西电视台深夜栏目《TV-DOS》播放的电视剧《诞生于四月四日》。《TV-DOS》这个栏目是交由新人导演拍摄五集十分钟的短剧，在周一至周五的深夜时段播出。制作费为一千万日元。要在为期四天的时间里，制作五集十分钟的电视剧，拍摄日程相当紧张。但是对毫无经验的年轻导演来说，这是一个崭露头角的好机会，岩井俊二[8]导演和黑泽清[9]导演都曾在这个栏目拍摄过一两部作品。我与合津女士合作的作品，剧本不是自己写的，当时的执导能力也很不成熟，不提也罢。但重要的是，我遇到了后来担任《幻之光》摄影师的中堀正夫[10]先生。

其实，我本来打算将自己的原创剧本《美好的星期天》（后来《无人知晓》的原型）拍成处女作。详细情况不在此赘述了，当时我找了各种门路，还将剧本拿给电视台的导演和制作公司的制片人看，但迟迟没有进展。就在这个时候，《幻之光》的改编事宜仿佛命中注定般闯进了我的视线，我心想这兴许是个不错的机会，于是决定受邀拍摄。

当初我本想将《幻之光》拍成电视剧，但是看了新人编剧写的第一稿剧本，感觉更适合拍成电影。产生这个想法的原因，大概是其中花了大量笔墨描写光与影。于是我向合津女士提议："要不就拍成电影吧。"第一稿的剧本按照原作，以独白的形式从女主人公小时候开始讲述。我着手和编剧一起完善剧本，使主题更加鲜明。

最后，将完成的剧本拿给制片人朋友看，他告诉我"这样制作费需要三亿日元，行不通啊"，我听了非常震惊。写的时候，我们完全不知道这个剧本需要拍多少组镜头，拍摄外景需要花费多少时间和经费，但是在专业人士看来，这样的构想太大胆了。所以重新修改了剧本，删掉了主人公少女时期的故事，好不容易将费用控制在了一亿日元以内。

正在这个时候，情况忽然发生了变化。

合津女士除了担任制片人，还是一位女演员的经纪人。《幻之光》的女主角本来预定由这位女演员出演，但是拍摄资金迟迟未能到位，其间她们两人决定退出摄制组。这样一来，演员名单又变回了一张白纸。正因如此才启用了新人女演员，那时除了剧本，

《幻之光》

[上映时间] 1995 年 12 月 9 日　[发行] Cine Qua Non、TV MAN UNION　[制作] TV MAN UNION　[影片时长] 110 分种　[概要] 祖母失踪、丈夫自杀……由美子内心常常被丧失感包围。与奥能登村的男人再婚后，她有了新的家人，过上了平静的生活，然而不久后，前夫死亡的阴影渐渐投射在她片上。[原著] 宫本辉　[获奖] 威尼斯电影节金奥赛拉奖、温哥华国际电影节龙虎奖等　[主演] 江角真纪子、浅野忠信、内藤刚志等　[摄影] 中堀正夫　[灯光] 丸山文雄　[美术设计] 部谷京子　[编剧] 荻田芳久　[出品、制片] 合津直枝　[服装设计] 北村道子　[配乐] 陈明章

一切都是从零开始。

　　一有时间，我就带着摄像机寻找可以取景的地方。原著中的故事发生在关西地区，但是我们为了节省预算，决定在东京寻找拍摄外景的场所。杂司谷和根津等平民老街不仅透着岁月的气息，街上的建筑仿佛还深深地扎根于泥土之中，极具存在感。我漫步于街道上，脑海中想象着电影中的场景，那真是一段愉快的时光。影片中浅野忠信工作的荒川区三河岛的工厂，以及江角真纪子梦中出现的童年时代居住过的川崎的国道站，就是通过这样的方法找到的。电影后半段主要的舞台能登，实际上是一个叫鹈入的靠海的村庄，当时从轮岛出发开了三十分钟的车才找到这个美丽的地方。幸运的是，还顺利租借到了一间废弃的房屋。

　　第一次见到江角真纪子是在一九九四年九月。

　　合津女士跟摄影家筱山纪信谈起了《幻之光》，便问道："有没有适合的新人演员呢？"筱山先生拿出了一张江角真纪子的黑白照。看到这张照片，我当下就请筱山先生安排，在他的事务所跟江角小姐见个面。跟她交谈了三十分钟，谈话也涉及了她过世的父亲。走出事务所时，我就决定请她出演电影的女主角。选择一个演员，能说出来的理由都是事后找的，关键在于是否一见到这个人，便有"就是他了"的念头。根据我的经验，只要有这个念头，一般就八九不离十了。

三十二岁的我，不知天高地厚

差不多在同一时期，我跟侯孝贤[11]导演见了面。

因拍摄纪录片《当电影映照时代：侯孝贤和杨德昌》[12]，我和侯孝贤导演一直保持着联系。他每次来东京，我们都会见上一面。这次见面，我向侯导提出了一个不情之请："我即将执导第一部电影，不知您能不能把《恋恋风尘》[13]的配乐人陈明章[14]先生介绍给我？"侯导听后，爽快地将陈明章的联系方式给了我。他还告诉我："你这个故事很适合送到威尼斯电影节[15]。"因此电影尚未开机的时候，我就决定将《幻之光》送到威尼斯参展。

拍摄主要集中在一九九四年十二月至翌年一月，实景部分我

拍摄《幻之光》时的作者

记得是在当年夏天提前拍完的。然而就在拍摄和剪辑期间，日本发生了阪神大地震[16]和东京地铁沙林毒气事件[17]。在这两次重大灾难中获得的体验，对我日后的电影产生了很大影响。

话说回来，确定江角小姐为主演之后，一亿日元的资金依然迟迟未能筹集到。这个时候，TV MAN UNION 为纪念公司创立二十五周年，正在内部招募纪念企划项目。当我提出《幻之光》的拍摄计划时，重延浩社长对这个提议表示了浓厚的兴趣，并提供了五千万日元的资金。

然而，剩余的五千万怎么也筹措不到。我甚至将企划书拿到东宝、松竹以及富士电视台，但都被拒之门外。现在或许难以想象，在影院和发行方都未确定的情况下，我就草草地开机了。因为当时我们都深信"只要看到完成的作品，大家肯定会竞相购买"，所以五千万日元先赊着，硬着头皮花了一亿日元拍摄。

影片拍摄完后，我们信心满满地举办了试映会，但出于"由无名新人导演执导"、"无名新人女演员主演"、"讲述关于死亡的灰暗故事"这三重原因，没有一家发行方愿意投资。我这才意识到问题严峻，不免焦虑起来："情况很糟糕啊，这样下去要是电影被雪藏，剩下的五千万该怎么办呢……"毫无疑问，那时制片人心里肯定比我更加不安。

最终，我们等来了奇迹，三个令人兴奋的好消息接踵而至。

首先，当时参加试映会的 TBS 制片人远藤环非常看好江角小姐，提拔她出演在东芝周日剧场播放的电视剧《光辉的邻太郎》。

另外一个好消息是，东京剧场的制片人很喜欢《幻之光》，告诉我们："可以在我们的影院上映，但 CINE AMUSE 涩谷店很快将会开业，运营方之一是 Cine Qua Non 电影公司，如果李凤宇[18]社长喜欢你的电影，就能在他们的影院放映，这比在我们的影院放效果好很多。你不妨请他看看。"并将我介绍给了李社长。李社长来到位于调布的东京现象所观看了试映，一结束放映，他就对我说："影院预计十二月开业，我想将这部电影作为影院的第一部影片放映。"

之后没过多久，又收到《幻之光》入围威尼斯电影节竞赛单元的消息。对电影来说，和煦的风开始吹起来了。

毫无疑问，当时我有点自鸣得意。周围的人知道这个消息后，都喜极而泣。而我的心中却有一股毫无根据的自信，觉得这不过是循着自己的既定路线走，本来就会达到这个高度，甚至认为："电影一旦公映，以后就能拍自己编剧的电影了。"

三十二岁真是不知天高地厚的年纪。也许是初生牛犊不怕虎，但没有经验其实很危险。如果第一部电影有任何闪失，那第二部就毫无可能了。因此即便别人说我"不过是运气好"，也无可奈何。

被分镜图绑住手脚

从导演的角度来说，《幻之光》在很多方面都需要反思。（当初，

我对周防正行 [19] 导演说"我失败了",他善意地提醒我:"作为导演,你可能觉得这是一部失败的影片,但想想一起拍摄的工作人员和演员的付出,在未来的十年里都不要说这句话了。"现在过了二十年,应该早已过了时效吧。)

在这之前,我只拍过几部纪录片和深夜短剧。尤其是纪录片,拍摄现场的人数跟电影有天壤之别。纪录片的采访团队大概只有四五人,简陋的时候甚至只有一个人。

即使是《幻之光》这样小规模的影片,拍摄现场也大约有四十个工作人员。规模较大的影片往往会超过一百人。电影的人工费除了演员的薪酬,工作人员的工资也是很大的开支。即使是独立电影,平均一天的拍摄也得花费三百万日元左右。电影就是这样一个需要大量资金的行业。

对我来说,四十名工作人员的确有点多,这样一来我就难以顾及片场的方方面面。摄影部和灯光部的技术非常高超,这方面我完全信任他们。然而在拍电视节目的时候,我习惯将拍摄现场发生的趣事加入作品中,此刻却失去了这份灵活性,所以多少有点焦躁(当然,这其实是自己的能力问题)。

另外,《幻之光》由小说改编而成,剧本中的台词无法随意修改。差不多在同一时期,我看了一部拍摄能登岛渔民的纪录片,片中的一位老妇人充满魅力。因此我跟制片人商量,是否可以让她出演电影中的"留野"一角,但是这样的尝试太大胆了,最终未能实现。因为有原著参照,所以剧本失去了自由,无法灵活变通,

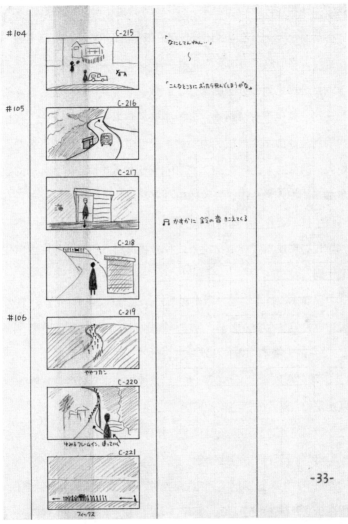

《幻之光》葬礼一幕的分镜图

这着实让我痛苦。

然而，最令人苦闷的还是自己一股脑儿画的三百张分镜图[20]。拍摄时，它们成了束缚我的罪魁祸首。

要是意识到被分镜图绑住了手脚，那舍弃它就行了，但那时我连这一点也没有意识到。周围净是经验丰富的专业人士，我作为初到片场的新人导演，内心的不安可想而知。在多位优秀的工作人员的帮助下，《幻之光》的拍摄终于接近尾声。很多片场的趣事都未能加入影片中。分镜图中没有却加到电影中的，大概只有港口小村那条名叫穆库的流浪狗吧。

直到被侯孝贤导演指出来，我才意识到自己"被分镜图绑住了手脚"。

侯导来到日本参加东京电影节[21]，见面时，他对我说："技术很厉害，但是在拍摄之前，你早就画好了所有的分镜图吧？"

"是的，画了，当时特别没有自信。"我回答。

"不是应该看了演员的表演之后，才确定摄影机的位置吗？你以前是拍纪录片的，应该知道啊。"

我们是通过翻译人员交谈的，侯导的语气可能没有这么严厉，但印象中，侯导话中的意思是"你连这也不知道吗"，我深受打击。拍摄纪录片时，眼前的人和事物的关系会随着拍摄产生各种变化，这是我觉得有意思的地方。然而，我从纪录片开始，绕了如此远的路才来到电影世界，却没有将积累的经验充分发挥出来……

侯导的话比任何电影评论都更深地刺痛了我，这同样也成了我在下一部电影中想达到的目标。

没有策略，就难以在电影节中"作战"

从《幻之光》中，我还学到了一件事。

《幻之光》入围了威尼斯电影节的主竞赛单元，那是我第一次有机会参加国际性的电影节。

威尼斯电影节与戛纳电影节[22]相比，商业气息相对较淡。举办地在一个离陆地不远的小岛，气氛非常悠闲，像一场温暖惬意的节日庆典，毋庸置疑，其中也有商业的萌芽。

那一年获得金狮奖的是陈英雄[23]导演的影片《三轮车夫》[24]。

陈导与我是同一年生人，《三轮车夫》是他的第二部长片电影。在威尼斯上映前，已经在巴黎举办了试映会，邀请了不少记者观看并撰写影评。在确定意大利的发行公司后，便顺势将影片送到了威尼斯电影节参展。在专业公关人员[25]和发行公司的运作下，《三轮车夫》向着全世界进发，并成功地将这个战略的起点——威尼斯的金狮奖收入囊中。

不久后，成为《幻之光》海外发行方的 Ceulluloid Dreams 公司的董事长对我说：

"导演一个人参加电影节是没有意义的，那是与商业合作伙伴一起有策略地展开作战的地方。"

那时候，很多日本导演参加国外的电影节，主要是为国内上映造势。能得奖自然再好不过，即使没有得到任何奖项，仅仅入围也算凯旋而归（现在的情况仍是如此）。因此，对于很多日本导演来说，电影节可以说是终点，或者说至少是折返点。这样的想法过于故步自封。但当时我也是这样想的："一部由新人导演拍摄、新人女演员出演的电影，要是不能在威尼斯收获任何奖项，那在日本根本不会有人观看。"因此，当我听到"电影节是起点而非终点"的说法时，内心颇受冲击。

幸运的是，《幻之光》在威尼斯电影节上获得了金奥赛拉奖最佳摄影奖，还受邀参加多伦多电影节[26]和温哥华电影节[27]。我决定用这一年来好好了解电影节。既然自己的电影被各地的电影节邀请参展，我便欣然前往，并以电视导演的眼睛观察哪里有优秀的宣传公司，不同的发行公司又是如何发行推广影片的。正是电影节给我提供了观察和思考的好机会。

据说全世界有超过三百六十五个电影节（每天不止一个电影节！），其中可以拓展商机的主流电影节大概有三十个。那一年，我一共参加了十六个电影节（除了刚才提到的三个，还有芝加哥、柏林、鹿特丹、伊斯坦布尔、香港、南特、塞萨洛尼基、伦敦、台湾、锡切斯、山形、纽约、旧金山等影展）。高兴的是，其间跟北美一家小型发行公司谈妥了发行事项。另外通过电影节，除了国外导演，我还得以跟桥口亮辅[28]、筱崎诚[29]、河濑直美[30]等与我同一代的国内导演相识，并深入地交往，这也是我参加电影节的一大动力。

那一年参加的电影节中，最令我难忘的是在南特三大洲电影节[31]期间举办的映后交流会[32]。

本打算在电影放映后举行三十分钟的交流会，却过了一小时都没能结束。于是转移到电影院外的一家咖啡馆，跟观众继续交流了一个半小时（大家的热情令我感动！）。现场一位上了年纪的女士问道："这部电影中有很多场景都重复了两遍。自行车的场景出现了两次，风铃也出现了两次。在场景的重复中，电影的节奏也随之产生了。而且，电影始于一个梦，在我看来应该也以梦境结束。这样的话，最后一个镜头的梦是从什么地方开始的？"

翻译还在为我翻译那名女士的问题，另一位观众就站起来说"我认为是从海边开始的"，他刚说完，另一边的观众又说"我觉得是从车站开始的"。"我想是走上坡道的时候……"我正想开口，却被观众制止了，"导演请保持沉默，现在还不是您发言的时候。"就这样，观众席上各种不同的意见此起彼落。

我想，这就是成熟的观众的样子。光是听着翻译，我就感到特别满足，也充分感受到了现场热烈的气氛。不知是因为观众是法国人的关系，还是我的电影拍得太模棱两可，或者两个原因兼而有之，总之，这段经历非常珍贵。

从那之后，我就想能不能把这样的形式也搬到日本呢？所以每每有电影上映，我都会在影院举办交流会。

下一站，天国

1998

花絮的影像中产生了新的东西

我本想把《幻之光》拍成一部"日本现代剧"，然而海外的电影节，尤其是欧洲的电影观众却将它与东方的异国情调、日式美学结合起来理解，说实话与我的初衷相去甚远。在放映交流会上，被问到"这部电影是否与禅的思想有关"，"景物的画面常常是连续出现三个镜头，这和俳句有什么关系吗"等问题时，我不禁露出苦笑。西欧的观众往往会从与西方不同的生死观和东方价值观来解读，我承认《幻之光》确实会造成这样的误解。

很多人以为这部电影是导演的晚年之作，所以一看到我都特别惊讶："比想象的年轻多了，我以为导演得有六十岁了。"当然其中也包含着"如此成熟的作品竟出自年轻导演之手"的赞赏，但老实说内心还是有些遗憾。

因此执导第二部作品的时候，我有一个别扭的想法，决定拍摄一部与欧洲人期待的所谓"日本电影"完全相反的影片。恩斯特·刘别谦 [33] 的都市讽刺喜剧《天堂可待》[34] 中，死去的男人在冥王面前讲述自己过往的人生。参考这部电影的设定，我决定将天堂的入口作为影片故事的发生地，拍摄一部与日式心绪完全不同的作品。

这部作品就是《下一站，天国》。

在加入 TV MAN UNION 的第二年，我参加了第二十八届电视剧剧本大赛，并获得了鼓励奖。《下一站，天国》的剧本正是以当时获奖的剧本为基础创作而成的。

事实上，我有很长一段时间抗拒去公司，闷闷不乐地窝在家里才写下这个剧本。拿去参赛几个月后，我得知一直喜欢的女孩

©1998《下一站，天国》制作委员会

《下一站，天国》

[**上映时间**] 1999 年 4 月 17 日 [**发行**] TV MAN UNION [**制作**] TV MAN UNION、ENGINE FILM [**影片时长**] 118 分钟 [**概要**] 人们死后，在去往天国之前会在这里待上一周。在这七天中，逝者必须选择自己最重要的记忆，然后由工作人员将其拍成影像，并在最后一天进行放映。今天又有二十二名逝者来到了天国入口…… [**获奖**] 法国南特三大洲电影节最佳电影奖、圣塞巴蒂安国际电影节影评人费比西奖等 [**主演**] 井浦新、小田绘梨花、寺岛进、内藤刚志、谷启等 [**摄影**] 山崎裕 [**灯光**] 佐藤让 [**美术设计**] 矶见俊裕、郡司英雄 [**服装设计**] 山本康一郎 [**配乐**] 笠松泰洋 [**出品**] 安田匡裕 [**制片**] 佐藤志保

要跟别人结婚了，所以深受打击，郁郁寡欢。谁知第二天一早收到了获奖的电报。我不由得相信："上帝在关上一扇门的同时，必定会打开另外一扇窗。"也就是说，以失恋为交换条件，上帝给我指明了一条道路。

在《下一站，天国》中，我首先想到的是吸取《幻之光》中的失败教训。

在这之前，我已经拍摄了好几部纪录片。按照"拍摄、剪辑、思考、再拍摄"的流程完成的纪录片，可以说包含着自己的思维过程，对我来说非常有魅力。

曾是 TBS 制片人和导演的荻元晴彦 [35]、村木良彦 [36] 与今野勉 [37] 一起创立了 TV MAN UNION，三人还共同执笔写下了关于二十世纪六十年代的电视行业的著作《你不过是现在 ——追问电视的可能性》[38]。大学时期读到这本书，我受到了剧烈的冲击。在书中，他们将电视比喻为爵士乐而非古典乐。

电视是爵士乐。若要问爵士乐是什么，那我就将兰斯顿·休斯的一段话赠予你。

"爵士乐是一个圆，而你则处在这个圆的圆心。爵士乐并非预先写出来的音乐，而是随着节拍和韵律，被自我的感受带着往前，进而完成的即兴演奏——一种非常幸福、时而悲伤的演奏行为。"

电视也是如此，它并不是由传播者和接收者组成，所有人都是传播者和接收者。电视并非完完全全地再现剧本的内容，而是在不断到来的"现在"，所有人通过自己的参与呈现出来的即兴演奏会。电视中没有"已经"，每一刻都是"现在"。正因为电视每时每刻都是"现在"，才说它是爵士乐。

——摘自《第五章 电视是爵士乐》

在他们看来，电视的特点是没有乐谱，它是由现场的所有人共同创造出来的，是一个无法再现的过程。此后的二十五年，电视制作越发趋向保守化，但是电视纪录片还勉强保留着他们所说的"爵士乐"的元素。这是我拍摄了若干部纪录片之后切身体会到的。

导演《幻之光》的经历，只是停留在再现分镜图上。因此在接下来的作品中，我努力将镜头对准那些发生在拍摄现场的事情。如果这样拍出来的东西也能成为一部电影，那将是与我最不认同的"拍摄表演的电影"完全相反的影片。

记忆对个人来说意味着什么

《下一站，天国》的主题之一，是诘问"记忆对个人来说意味着什么"。

逝者们在初次到达的设施内，被工作人员告知"请回顾人生，选择一段对你来说最重要的记忆"。选出的记忆将由工作人员拍成影像，死者在观看的过程中，会带着这份记忆一起去往天国。

我再三推敲剧本，将原本六十分钟的电视剧本改成了一百二十分钟的电影剧本。在这个过程中，我反复想象着那些逝者到底会选择怎样的"记忆"，因此决定针对普通人做一项调查。回顾自己的童年时期和青春岁月，我猜想留在年长者脑海中的或许是关东大地震、第二次世界大战以及东京奥运会。这样一来，每个人的记忆就能编织成日本二十世纪的时代侧影。

于是我雇了几个将来有意向从事影像创作的学生，让他们拿着摄影机到街上采访。每周六将拍摄到的素材带来讲解，最终收集到的影像资料大约有六百份。

本来只是为了撰写剧本而开展调查，但是学生们收集到的影像比预想的更有意思。我意识到，直接拍摄那些普通人好像更接近最初的设想，当即邀请纪录片摄影师山崎裕[39]担任影片的摄影工作。具体的做法是一概不画分镜图，由我创造令普通人更容易讲述回忆的客观条件，山崎先生则负责让镜头自由地深入其中。

就是说，不去区分是纪录片还是剧情片，用同一个方法论来诠释，不管镜头前是演员还是普通人，都用同样的拍摄方法。

跟选中的采访对象正式交涉后，有两个人拒绝出演。

其中一个是上了年纪的男人，他说："之前告诉你们的话都是骗人的，所以没法出演。"看到年轻女孩来找自己说话，他情绪一激动就胡说八道起来。真是充满浓浓人情味的小插曲。

另一位无法出演的是位老婆婆，她觉得自己的人生"并不足为外人道"。虽然很遗憾，但也只能放弃。于是我们选了另外一位老人家出演，她就是在喜欢的哥哥面前跳"红鞋子舞"的多多罗君子女士。令人意外的是，在非职业演员中，她给人的印象是最深的。

拍摄再现记忆的场面时，发生了许多趣事。

有个公司职员选择了"为了当飞行员，在赛斯纳飞机上进行训练"的记忆。当美术部的人将准备好的飞机展示给他看的时候，他立刻表示"这不是赛斯纳"，机翼的位置不对。"机翼要是在下面的话，我不可能看见云"，"你让我看着这个回忆，有点……"，他直白地表达了自己的不满。美术部的人不得不将机翼取下来，安装在机身上侧。不过，连这种突发情况也令人兴奋。

拍摄的时候，摄影师山崎先生可能比我更乐在其中。

逝者讲述记忆的时候，会有"是这样的吧"、"或许是那样的"这类与工作人员交流的画面。当初，我并不打算保留这些镜头，还多次强调："花絮部分只需要像留个不在场证明那样，放几个镜头即可。"但趁我不在片场的间隙，山崎先生将摄影机对准了这些场景。即使制片人提醒"快没有胶片了"，他也没有停止拍摄，只是说："那我就用录像带拍。"

对我来说，山崎先生拍摄的影像是另一个"发现"的过程。开始剪辑的时候，我发现与用于正式上映的影像相比，普通人讲述回忆，在重现记忆的现场苦恼的花絮显得更加生动真实。也就是说，这个过程并非"再现"，而是"生成"。于是我决定改变对策，在影片中保留花絮的部分，计划拍摄的部分则一概不用。

对于长年拍摄纪录片的山崎先生来说，将镜头对准那些发生在片场的趣事是再自然不过的事情。然而他那种即使知道这不是剧本内容，也不是导演的意愿，却不受束缚，依然拍摄自己感兴趣的画面的态度令我惊讶。我在这个时候认识到，拍摄本来就应该是这样的。

说起真实，我在拍摄的时候特别注意了声音。还记得当时筱崎诚先生在看完《幻之光》后，指出了电影中声音的问题。

首先是电影最开始的部分——少女在梦中追逐走在斜坡上的祖母的情景。本来脚步声应该越来越远，但是观看影片的时候却听到脚步声越来越近。筱崎先生指出，为了收录最清晰的声音，肯定将话筒放在了斜坡上。的确，录音部的工作人员最害怕的就是没有录到现场的声音，所以往往使用话筒和无线麦克风同步收音。拍摄那个场景时，除了放在桥上的话筒，他们还使用了无线麦克风收音（这也是录音部的常规做法），以致让人物远去的动作与渐渐接近的声音产生了距离上的矛盾。

第二个是影片将近尾声的海边的镜头。筱崎先生告诉我："在当时的环境中，夫妇的谈话声淹没在海浪声中也许更好吧。"确实如此，画面是一个远景[40]，所以对话的声音是用无线麦克风收录的。至少应该让工作人员拿着话筒隐蔽在岩石后，将海浪声同步收录下来，这样能更好地保留声音空旷的空间感。

声音的远近应该与镜头的远近基本保持一致，在筱崎先生那儿学到这一点后，从《下一站，天国》开始，我更加注意声音与影像的结合，并不断在尝试中吸取经验教训。

拍摄"自我表现欲"

回顾那个阶段，纪录片导演小川绅介 [41] 对我的影响很大。

小川导演曾在自己的著作《收割电影》[42] 中写道："纪录片就是将镜头对准拍摄对象的'自我表现欲'。"为了向别人展示自己，被拍摄者会在镜头前表演，这样的身影非常美丽，摄影机要拍摄这样的场景。也就是说，在拍摄者的拍摄诉求和拍摄对象的自我表现欲的冲突中，真正的纪录片才得以产生。

拍摄纪录片时"作假"有时会成为社会问题。在制作《NONFIX》的节目《纪录片的定义》时，我有机会采访了长期担任小川绅介纪录片摄影师的田村正毅 [43] 先生。

批判作假的一方往往会发表这样轻率的言论："拍摄原本的样子就好，不需要改编和渲染，也不需要什么导演，按照拍摄顺序剪辑起来就可以。"但是这样一来，就演变为了"偷拍"（尽量不让拍摄对象知道自己被拍）。田村先生解答了我的疑问："偷拍是无法让对方完成自我表现的。偷拍的影像根本称不上是纪录片，我不想这样拍。拍摄对象在意识到镜头之后，会怎么表现？这样的影像才有趣而美好。"他对"拍摄"这一行为独特的或者说多元的看法之中，蕴含着另一种与偷拍完全相反的纪录片形式。

在《下一站，天国》中，我想将摄像机对准那些讲述自己重要回忆的普通人，尝试拍出小川先生和田村先生所说的拍摄对象的"自我表现欲"。

比如有这么一幕，上文提到的来到天国入口的多多罗女士，站在布景的一角，一边观看扮演自己的少女跳舞的画面，一边说："今天早晨给佛龛上香时，我向哥哥报告了（出演电影）这件事。"有工作人员担心："这个镜头会破坏故事的虚构设定，是否考虑剪掉那句台词？"但是在我看来，"这正是自我表现欲"，所以保留了这个镜头。这句话是她在知晓被拍摄的情况下，面朝摄影机一旁的我说的。她的自我表现——将她对哥哥的思念之情一览无余地展现出来的美丽神情才是最重要的。

开始剪辑的时候，我发现有两个场景非常有意思，一个是向工作人员指出"这不是赛斯纳"，另一个是疑惑地说"我当时是怎么拿着手帕的"。这与其说是自我表现欲，不如说是当事人意识到自己的话和再现的情景以及记忆之间出现了偏差，因此产生了无意识的行为。这个产生新东西的瞬间远远超乎我的期待，有着纪录片的特质。

因此当电影完成，听到诸如"这无法称为电影"、"这不是纪录片"、"作为幻想片也完全不成立"等批评的时候，我也毫不在意。法国发行公司的董事长也表示："我们想要的是更亚洲式的电

影，不是这样的电影。"但对我个人来说，相比《幻之光》，我完成了更具个人风格的作品，工作人员也正像我要求的那样，所以感到很满意。

当年多伦多电影节的艺术总监诺亚·科万来日本的时候观看了《下一站，天国》，之后我收到了一封热情的来信，这令我非常高兴。于是，我决定九月在多伦多举办《下一站，天国》的全球首映会[44]。

此前一个月，我参加了一年一度在纽约举办的罗伯特·弗拉哈迪[45]电影研讨会。

罗伯特·弗拉哈迪被誉为"纪录片之父"，是美国著名的纪录片导演和电影导演。小川绅介深受其影响。研讨会是在罗伯特·弗拉哈迪逝世后的一九六〇年设立的，每年举办一次，参加研讨会的基本都是纪录片导演。在为期一周的研讨会期间，每个导演从早到晚观看其他人的作品，然后互相讨论，非常充实。

我带着在《NONFIX》制作的《没有他的八月天》和《当记忆失去时》参加了研讨会，并为两部片子配上了英语字幕。由于研讨会是全封闭式的，《下一站，天国》提前在这里进行了试映，观看的人反应很热烈，表示"看到了非常有意思的片子"，良好的口碑一下子在业界传开了。

《下一站，天国》在多伦多电影节期间的三轮放映都座无虚席，全球首映会也非常成功，并以此为契机确定了北美的发行公司。纽约的首映会圆满结束后，又传来了翻拍的消息。这时候，法国的发行商也一改之前的评价，表示了赞赏："这是一部非常令人心动的电影。"若是因为这种事就对人失去信任的话，便无法在惊涛骇浪的电影市场中遨游了。我第一部自编自导的电影《下一站，天国》，就这样一步步在世界范围内迈开步伐，有了一个非常不错的开端。

注释

[1] ——《幻之光》
宫本辉著，1979 年由新潮社出版。

[2] —— 宫本辉
小说家。1947 年生于日本兵库县。
1970 年从追手门学院大学文学系毕
业后，进入广告公司担任广告文案。
1977 年凭借处女作《泥之河》获太
宰治奖。代表作有《萤川》《道顿堀
川》《锦绣》《消散的青》《流转之
海》等。

[3] —— TV MAN UNION
1970 年，萩元晴彦、村木良彦、今
野勉三位电视导演离开东京广播电
视台（现 TBS）后成立，是日本第
一家独立电视节目制作公司。

[4] —— 合津直枝
电视、电影制片人，编剧。1953 年
生于日本长野县。从早稻田大学第
一文学系毕业后，加入 TV MAN
UNION。代表作有《幻之光》（制片），
《沉落的黄昏》（导演、编剧），电视
剧《白昼之月续篇：在医院死去这回
事》（制片），《书店店员美知留的故
事》（导演、编剧、制片）等。

[5] ——《NONFIX》
富士电视台的一档纪录片栏目。

1989 年 10 月开播，至今仍在播放。

[6] ——《锦绣》
宫本辉著，1982 年由新潮社出版。

[7] ——《繁星的悲伤》
宫本辉著，1981 年由文艺春秋出版。

[8] —— 岩井俊二
电影导演。1963 年生于日本宫城
县，毕业于横滨国立大学教育学院。
1993 年执导电视短片《升起的烟花，
从下面看还是从侧面看？》，获日本
电影导演协会新人奖。代表作有《情
书》《燕尾蝶》《关于莉莉周的一切》
《花与爱丽丝》等。新作《瑞普·凡·温
克尔的新娘》于 2016 年 3 月上映。

[9] —— 黑泽清
电影导演。1955 年生于日本兵库县，
毕业于立教大学。曾担任《盗日者》
的制作助理、《水手服与机关枪》的
助理导演。1983 年以限制级电影《神
田川淫乱战争》出道。代表作有《X
圣治》《光明的未来》《分身》《东京
奏鸣曲》《岸边之旅》等。首部外语
片《底片上的女人》于 2016 年上映。

[10] —— 中堀正夫
电影摄影师。生于 1943 年，从日本

大学艺术学院毕业后，进入圆谷制作公司，担任《赛文奥特曼》《泰罗奥特曼》等作品的摄影。电影代表作有《帝都物语》《幻之光》《沉落的黄昏》《疾走》《播磨屋桥》《脖子造怪机》等。

[11] —— 侯孝贤
电影导演。1947 年生于广东省，后移居台湾。1980 年开始拍摄电影。代表作有《童年往事》《恋恋风尘》《悲情城市》《戏梦人生》《好男好女》《咖啡时光》《红气球的旅行》《刺客聂隐娘》等。

[12] ——《当电影映照时代：侯孝贤和杨德昌》
关于中国台湾两位杰出的导演侯孝贤和杨德昌的纪录片，收录其采访及拍摄现场的影像。1993 年在富士电视台《NONFIX》栏目播出，影片时长 47 分钟。

[13] ——《恋恋风尘》
拍摄于 1987 年的中国台湾电影，于1989 年在日本上映，侯孝贤"自传四部曲"之一。

[14] —— 陈明章
音乐家。1956 年生于台北市。致力于创作台湾民谣和闽南语歌曲，被誉为"台湾民谣大师"。

[15] —— 威尼斯电影节
于每年 8 月末至 9 月初在意大利威尼斯举办的电影节，创立于 1932 年，是世界上历史最悠久的电影节，与戛纳电影节、柏林电影节并称为"世界三大电影节"。

[16] —— 阪神大地震
1995 年 1 月 17 日发生于日本兵库县南部的大地震，据统计有 6434 人死亡，3 人失踪，43792 人受伤。

[17] —— 东京地铁沙林毒气事件
1995 年 3 月 20 日早上在日本东京的营团地铁（现东京地铁）多条线路发生的恐怖袭击事件。奥姆真理教的信徒将神经性毒气"沙林"投入人群，造成包括列车员在内的 13 人死亡，约 6300 人受伤。

[18] —— 李凤宇
电影制片人。1960 年生于日本京都。从朝鲜大学外语学院毕业后，去巴黎大学留学深造。1989 年，创立Cine Qua Non 电影发行公司。1993年，首次担任《月出何方》的制片人。担任制片的影片有《爱与和平》《无

人知晓》《扶桑花女孩》等。

[19] —— 周防正行
电影导演。1956 年生于日本东京。
毕业于立教大学文学系。1984 年
首次执导作品，拍摄了致敬小津安
二郎导演的限制级电影《变态家族：
长兄的新娘》。此后开始拍摄剧情
片，凭借热门影片《五个相扑少年》
《谈谈情跳跳舞》开始跻身实力导
演之列。代表作有《即使这样也不
是我做的》《临终的信托》《窈窕舞
妓》等。

[20] —— 分镜图
电影、动画片、电视剧、广告等影像
作品开拍前，预先准备的用于分解镜
头的画面设计图表。

[21] —— 东京电影节
1985 年设立的电影节，于每年 10 月
举办。

[22] —— 戛纳电影节
1946 年创立于法国戛纳，于每年 5 月
在戛纳举行，是当今世界最知名的电
影节。除主竞赛单元外，还设有"一
种关注"单元、短片竞赛单元、导演
双周单元等。

[23] —— 陈英雄
电影导演。1962 年生于越南岘港市。
12 岁随父母移居法国。1993 年，凭
借《青木瓜之味》获得戛纳电影节金
摄影机奖（新人导演奖）。代表作有
《三轮车夫》《夏天的滋味》《挪威的
森林》。

[24] ——《三轮车夫》
拍摄于 1995 年的法国电影，由陈英
雄执导。1996 年在日本上映，获得
威尼斯电影节金狮奖。

[25] —— 公关人员
负责影片宣传的工作人员。

[26] —— 多伦多电影节
每年 9 月在加拿大最大的城市多伦多
举行的电影节，创立于 1976 年。该
电影节的特点是不设置竞赛单元。

[27] —— 温哥华电影节
北美规模最大的电影节，每年 9 月下
旬至 10 月上旬在加拿大温哥华举行。
设有由评委评选的故事片奖和由观
众票选的观众选择奖等奖项。

[28] —— 桥口亮辅
电影导演。1962 年生于日本长崎县，
肄业于大阪艺术大学。1985 年开始

从事电影导演及编剧工作。1993 年，执导首部院线作品《二十岁的微热》。代表作有《流沙幻爱》《肃静》《周围的事》《恋人们》等。

[29] —— 筱崎诚
电影导演。1963 年出生。自立教大学文学系毕业后，开始撰写电影剧本。1995 年，执导第一部长片剧情片《欢迎回家》。代表作有《男人与流浪狗》《东京岛》《怪谈新耳袋：怪奇》《SHARING》等。现为立教大学影像身体学科的教授。

[30] —— 河濑直美
电影导演。1969 年生于日本奈良县。毕业于大阪摄影专业学校电影系，同年留校任教。其间拍摄了 8 毫米短片《拥抱》和《蜗牛》，开始受到外界关注。1997 年，《萌动的朱雀》获得戛纳电影节新人导演奖。代表作有《原木之森》《澄沙之味》等。

[31] —— 南特三大洲电影节
1979 年设立于法国南特市的电影节，限定由亚洲、非洲和拉丁美洲的影片参加。

[32] —— 映后交流会
电影放映后，主创人员在现场回答普通观众和电影相关从业人员的问题的交流会。

[33] —— 恩斯特·刘别谦
电影导演。1892 年生于德国柏林。1914 年首次执导作品。代表作有《卡门》《牡蛎公主》《杜巴瑞夫人》《爱情无计》《蓝胡子的第八任妻子》《妮诺奇嘉》《天堂里的烦恼》等。1947 年去世。

[34] —— 《天堂可待》
由恩斯特·刘别谦执导的美国电影，1943 年上映。1990 年在日本上映。

[35] —— 萩元晴彦
电视制片人、导演。1930 年生于日本长野县。从早稻田大学文学系毕业后，加入东京广播电视台（现TBS），制作了《神的治愈：心脏外科手术记录》等作品。1970 年，与同属 TBS 的同事创立了 TV MAN UNION，出任第一任社长。之后制作多档与古典音乐相关的节目。2001 年去世。

[36] —— 村木良彦
制片人。1935 年生于日本宫城县。从东京大学文学系毕业后，加入东京广播电视台，先后在美术部、电

视导演部、电视报道部等部门工作，1970 年创立 TV MAN UNION。1976 年，出任 TV MAN UNION 的董事长。1997 年，成立"电视人协会"，出任干事。2008 年去世。

[37] —— 今野勉

制片人、导演。1936 年生于日本秋田县。从东北大学文学系毕业后，加入东京广播电视台。是电视草创期的知名制片人，曾制作数量众多的电视剧和纪录片。1970 年，创立 TV MAN UNION。导演代表作有《七名刑警》《心向远方》《天皇世纪》《来自欧洲的爱》《大海苏醒》等。

[38] ——《你不过是现在——追问电视的可能性》

由萩元晴彦、村木良彦、今野勉三人共同完成的著作，1969 年由田畑书店出版，2008 年由朝日文库出版文库本。

[39] —— 山崎裕

摄影师。1940 年生，毕业于日本大学艺术系。1965 年首次担任摄影师，拍摄纪录片《肉笔浮世绘的发现》。之后担任多部纪录片和电影的摄影，参与是枝裕和《下一站，天国》《距离》《无人知晓》《花之武者》《步履

不停》《奇迹》《比海更深》的摄影工作。2010 年执导电影《性躯干》。

[40] —— 远景

拍摄时，摄影机与拍摄对象距离很远的镜头。

[41] —— 小川绅介

纪录片导演。1935 年生于日本东京。从国学院大学政治经济系毕业后，加入新世纪电影公司。1966 年，创立小川制作公司，拍摄《三里冢》系列。代表作有《牧野物语》系列、《日本国古屋村落》、《满山红柿》等。1992 年去世。

[42] ——《收割电影》

小川绅介著，1993 年由筑摩书房出版，2012 年由太田出版社出版修订版。

[43] —— 田村正毅

摄影师。1939 年生于日本青森县。隶属小川制作公司，参与多部小川绅介作品的摄影工作。代表作有纪录片《三里冢》系列，电影《修罗雪姬》《半途而废的骑士》《蒲公英》《热海杀人事件》《萌动的朱雀》《人造天堂》《怪怪怪的妻子》等。2014 年，执导处女作《蒲生家的路边餐馆》。

[44] —— **全球首映会**
指电影在全球范围内首次公开放映。
在首映礼上，制片方往往会邀请演
员等出席，组成豪华的阵容。

[45] —— **罗伯特·弗拉哈迪**
美国纪录片导演、电影导演。1884
年生于密歇根州。拍摄时，他总是
和家人一起移居当地，一边生活一
边拍摄，被誉为"纪录片之父"。代
表作有《北方的纳努克》《摩拉湾》
《南海白影》《亚兰岛人》《伏象神童》
等。1951 年去世。

第二章

青春期·挫折
1989－1991

《地球 ZIG ZAG》1989

《但是……在福利削减的时代》1991

《另一种教育——伊那小学春班记录》1991

二十八岁时，

以为可以凭借这一部

坚持下去

地球 ZIG ZAG

1989

设法让人说一句"难吃"

电视节目尤其是电视纪录片，除非有重播，否则很多观众都无法再次看到，接触机会相当有限。但身为影像创作者，电视节目在某种程度上对我的影响比电影更深刻，所以我想在这里用心地讲一讲。

电影导演大岛渚[1]也曾拍摄过好几部优秀的纪录片。他在文章中写道，纪录片拍摄者应该以"对拍摄对象的爱与强烈的关心"及"这两者存续的时间"两个条件为前提，"通过采访，将拍摄者身上产生的变革也纳入作品之中"。

在二十五岁至三十五岁期间，我拍摄了若干部纪录片。在拍摄现场切身感受到的确实如大岛渚导演所言。接下来，我就讲讲那时候的事情。

一九八九年，我导演了第一部纪录片《地球 ZIG ZAG》。节目组将普通的大学生派往海外，寄宿在外国的普通家庭中，一面与当地人交流，一面获得各种不同的体验。偶尔也会邀请名人录制节目，后来以该节目为原型诞生了《世界 URURUN 旅居记》系列。

说起内容架构，节目的流程主要包含开始体验，遇到挫折，进行挑战，挑战胜利，分别，最后在万分不舍中回国几个部分。如果是长期寄宿，自然会发生很多意想不到的事情，只要等待就可以制作出有意思的节目。然而拍摄周期只有四五天，最多也就一周时间。为了在短时间内引发"事件"，导演经常要采取相应的手段（比如请求对方家庭的老爷子激怒出演的学生）。

我策划的一期节目名为《斯里兰卡咖喱对决》。

节目的设定是这样的，一个宣称"我家的咖喱全日本最美味"的二十岁学生去了斯里兰卡，在当地的市场制作咖喱，但当地人纷纷表示"难吃"、"这哪儿是咖喱啊"。于是这个学生寄宿到当地家庭中，开始学习地道的斯里兰卡咖喱的做法。

然而事实与我预想的完全相反，学生制作的佛蒙特咖喱得到了当地人的一致好评（虽然他们可能不认为这是咖喱），他非常开心，我却大受打击。兜兜转转，好不容易在从业第四年才有机会执导第一部片子，难道这就是最后一部吗？我不禁陷入了焦虑。

《地球 ZIG ZAG》

[播放时间] 1989 年 10 月 1 日–1994 年 3 月 27 日 /TBS 系列 [制作] 每日放送、TV MAN UNION/ 共 224 集 [概要] 每周招募一名普通人前往国外的村子、城镇或岛屿等地居住一周，与当地人交流，接受各种锻炼，回国后向摄制组汇报自己的体验，然后制作成人文纪录片。是枝裕和执导了其中的五集。

于是，我请求负责协调的工作人员让在场的斯里兰卡男子"编个理由说不好吃"，也就是设计关卡。那位男子果然如我们期待的那样抱怨了肉的炒法，评价"难吃"。学生听到后当真了，大感失落。（看到我的做法，一旁的摄影师也忍不住指责起来："我花了整整三小时拍摄。倒不如一开始就告诉我，你需要什么画面。"我对他的批评心怀感激。）

节目顺利完成了，但这件事情在我心中留下了苦涩的余味。

仔细想想，在希望得到"难吃"的评价与被客观评价为"美味"之间，纪录片才真正诞生了。预设的情节被眼前的现实推翻的时候，才应该是拍摄中最有趣的时刻。

然而，节目却不得不剔除这个过程。说得更准确些，是我自己被困在了这个框架中。所谓的导演究竟是什么呢？带着这样的疑问，我在拍摄的时候尽量不采取"设计"和"干预"，避免出现类似"请再来一次"的情况，按照这样的想法拍摄了几期节目，却常常被周围人指责"太温和"、"在现场什么都没做"、"你已经放弃导演工作了吧"。

在这样的节目中，究竟能对拍摄对象施以何种程度的"影响"，完全取决于什么才是导演眼中最重要的"真实"（是否容许周围的人对采访对象施加"影响"，则取决于这么做是否能达到强化采访对象的体验与感动这个正当的目的。这与直接给采访对象下令"给我哭"截然不同，至少导演心中是这么认为的），以及同拍摄对象之间的关系。当然，"导演"和"作假"之间未必有明确的分界线。

然而第一次拍摄失败留下的心理阴影，使我开始对"导演"工作畏缩起来。

"不需要个性和创造性"

虽说如此，我还是按照自己的思路认真思考着何为导演，思考着在不欺骗对方的情况下，如何跳出既定的思路拍出更有趣的节目。为了解前辈是如何在拍摄现场进行指导的，我在休息日默默地来到公司的剪辑室，观看剪辑前的原始素材。

无论在拍摄现场还是在节目小组会议上，几乎都不会去讨论导演的伦理、可容许的设计范畴等问题。其他制作公司的情况大概也是如此。大部分创作者恐怕只是遵循助理导演时期跟随的导演的风格。而且最为严峻的问题是，导演方法中的伦理和哲学缺乏共享、继承和讨论的过程。

但很明显的一点是，用各式"手段"向拍摄对象施压拍出来的节目，显得更加"有趣"、"易懂"，而且能获得不错的收视率，赞助者和代理商也纷至沓来。这是一个两难的抉择。若是想拍出与其他导演不同的作品，周围的人就会说"节目并不是你实现自我满足的工具"、"不需要你的个性和创造性"。当时，我对自己的想法毫不怀疑，但是现在看来，我的想法还是过于天真了。说到底，这无非是一个初出茅庐的年轻人的自恋罢了。

像《地球ZIG ZAG》这样的常态节目，必须建立一定的体制，不管由谁来拍摄，都能拍出符合节目自身风格的作品，否则就无法持续下去。若每换一个导演，节目的风格便随之变化就麻烦了。

举个例子，对观看《水户黄门》的人来说，如果换了导演，印笼就不亮出来，那就等同于失误。事实上，曾有人告诉我："印笼必须要亮出来，因为我们拍的是《水户黄门》。"也就是说，无论是谁来拍摄，印笼必须展示出来，以此来惩戒恶霸、贪官。但我觉得应该也有没亮出印笼来的《水户黄门》（即使到了现在，我还这么认为）。

在拍摄《香港餐饮研修》这一期节目的时候，这个分歧成了致命的因素。

节目的剧情很简单，一名擅长包饺子的学生来到香港最著名的餐厅，并在餐厅的厨房见习。学生是我通过试镜挑选的。

可惜的是，这位毕业于一流大学、被一流企业录用的学生完全不懂礼貌，私下里很看不起厨房的工作人员。这样的态度自然会被众人感觉出来，一天晚上主厨告诉我："不管你们是不是做节目，我不能让这么失礼的人待在厨房里。太气人了，今天就结束拍摄吧。"

我只能请求他："虽然很麻烦您，但您能否将这番话原原本本地告诉他？我想拍下他的反应。"主厨按照我说的做了，然而学生以为这只是演戏，主厨过一会儿就会出来对他说："我再给你一次机会，好好努力。"看到这样的场景，我的怒气一下子就上来了

（当时真年轻啊），告诉他："你真的被赶出来了，接下来该怎么办，你看着办吧。"

在寄宿家庭中，他的态度也是如此。

他寄宿在一家小型的中餐馆，第一代店主是位上了年纪、头脑已经有些糊涂的老大爷，从早到晚都坐在收银台前，店里的生意都是儿子在打理。当天拍摄了学生给店里帮忙的故事，以及一家人非常珍视这位老大爷的场景。到了晚上，我向这名学生询问当时的感想，他却对我说："这家人真可怜，不得不照顾这个糊涂的老头。"我一听，气就不打一处来（真是年轻啊）。

因为发生了这一系列事情，我将错就错，把节目的结局改成学生最后"被辞退"。所以这个节目中既没有"挑战"，也没有"感动"，只有"挫折"。制作完后，我拿给制片人看。现在看来，这样的片子都算不上合格的电视节目，但当时的我深信："所有学生都努力地融入当地的生活，然后满怀感动回国的事情根本是骗人的。偶尔也应该有上面那位学生的情况，这才真实。"出乎意料的是，制片人看了节目之后勃然大怒："是谁让这样的学生去的，责任在你们摄制组。你怎么想？这种节目谁会想看！"结果，这期节目最终无缘跟观众见面。

而且，我也被踢出了这档节目的摄制组。当时我二十八岁。

说个题外话，虽说是常态性节目，但追溯到二十世纪六七十年代，当时电视圈的生态跟当下还是有些不同。要举出一个具体例子的话，首先浮现在我脑海中的是"不战斗的奥特曼"。

大岛渚创立的独立电影制作公司"创造社"[2]中，有一位叫佐佐木守[3]的编剧。佐佐木先生曾创作了三十九集《奥特曼》[4]中的六集、四十九集《赛文奥特曼》[5]中的两集剧本。在他执笔的剧集中，奥特曼并不会积极地打倒他创造出来的加玛库基拉、加布顿、泰莱斯通、贾米拉、史盖顿、辛勃等怪兽。

毫无疑问，孩子们都喜欢英勇战斗的奥特曼。我童年时代玩奥特曼人偶的时候也常常让它参与战斗。

但是给我留下深刻印象的往往是奥特曼没有战斗，或者说没有战斗情绪的故事，比如佐佐木守写的有怪兽贾米拉登场的《地球故乡》和有史盖顿登场的《来自太空的礼物》，以及编剧上原正三[6]为《归来的奥特曼》[7]写的《怪兽使徒与少年》等都是如此。这些故事中，奥特曼失去了"战斗的正义理由"，这对孩子来说具有极强的冲击力。

能允许这种实验性的尝试，关键在于当时电视节目的管理方式与现在大为不同。当时的电视节目无法录下来，一般播放完就结束了，即使存在问题也没有办法。在二十世纪六十年代，连电视剧都是直播的。

此后不到十年的时间，电视节目越来越趋向保守化。对现状感到忧虑的村木良彦坦言"电视需要异端"。他承认自己不属于主流，而是异端分子，并向保守化的电视界发起反击。

一九六八年，村木先生在一档名为《日本列岛之旅》的旅行节目中，执导了其中一期《我的火山》[8]。节目讲述一位少女如何探寻所谓的"内在的火山",是非常超现实的设定,在一般意义上并不能定义为"旅行"。赞助商因此感到很为难,最终村木先生离开了摄制组。

承认自己是"异端分子"的村木先生,是当时我创作的依靠。但现在回想起来,我跟村木先生的差距简直如天壤之别。

但是……在福利削减的时代

1991

最初的构想因某个事件被推翻

一九九〇年八月，离开《地球 ZIG ZAG》栏目组之后，整整一个月我都待业在家。其间，我偶然读到了一本书，书名叫《母亲走了——在幻想幸福的时代，追问"繁荣"日本的福利》[9]。

一位三十九岁、拥有三个孩子的母亲，因福利办公室拒绝提供生活援助而死于饥饿。札幌电视台的导演水岛宏明深入调查了这起令人痛心的事件，并制作成了纪录片，在深夜纪录片栏目播出。该书就是根据纪录片写成的。

看完这本书几天后，我跟当地的朋友谈起这件事情，其中两位向我坦承，事实上，他们在年幼时也曾接受过生活援助，但因为觉得丢脸，从没有对外人说起过。"福利"原来离我这么近，这让我感到惊讶，同时陷入了更加强烈的困惑。本是公民合法权益的"福利"，为什么却无法向他人言说？

之后我开始思考，不知能否拍摄一期以生活援助为题材的节目。离开常态节目后，如果不拍摄自己策划的节目，我的生活就难以为继。因为 TV MAN UNION 的薪资不是固定的，而是根据绩效发放。

我托 TV MAN UNION 的制片人前辈帮忙，他给我介绍了富士电视台深夜节目的总编室主任金光修先生。金光先生之后制作了《CULT Q》《料理铁人》等节目，是位非常优秀的电视编导。

那时，我为《NONFIX》栏目写了两份企划书，分别写在三张 A4 纸上，带去见了金光先生。一份是上文提到的《对生活援助的思考》，另一份是《失败者的自辩》，讲述人为什么失败，有为失败者找借口的感觉，同时也是向他人澄清误解，然后分析其中的原因。在我看来，第二份企划书更可行，金光先生却出乎意料地选择了"生活援助"，他说："《失败者的自辩》一看就有富士电视台深夜剧场的风格，但是关于生活援助，我完全不了解，所以对这个更感兴趣。"

一般情况下，电视编导不会选择自己不熟悉的内容做节目，金光先生却正好相反。他甚至鼓励我："节目成本小，你不用在意自己的资历。况且又是在凌晨一点多播放，没什么人会看。你就按照自己的想法大胆地拍吧。"听了他的鼓励，我不禁涌起一股感激之情。

在东京荒川区，接二连三地发生了几起关于福利问题的纠纷。在调查的过程中，一盘记录了自杀身亡的四十七岁酒吧女招待遗言的录音带进入了我的视线。她在录音带里披露了一直以来接受的"福利"的内幕。福利办公室的工作人员曾对她说:"你是女人,应该有很多赚钱的方法啊。"为生计所迫,她不得不搬离月租四万日元的公寓,并在住院期间被迫写下放弃生活援助的声明。我打算拍摄一个以录音带为主线,讲述自杀女招待和停止提供生活援助的区政府福利科男工作人员这组对立方的节目。

然而在节目筹备阶段,发生了一件意想不到的事情。十二月五日,负责调解水俣病国家赔偿诉讼案的环境厅企划调整局局长山内丰德[10],在患者和政府之间左右为难,最终选择了结束自己的生命。

媒体连续几天以"精英官员自杀"这样煽动民众情绪的标题竞相展开报道。通过调查,得知他曾担任过"厚生省社会局保障科科长"一职。所谓保障科科长,就是负责生活援助方面事务的

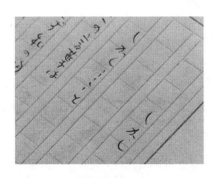

©TV MAN UNION

《但是……在福利削减的时代》

[播放时间] 1991 年 3 月 12 日 / 富士电视台《NONFIX》栏目 /47 分钟 [制作] TV MAN UNION [概要] 负责水俣病诉讼调解的政府官员——五十三岁的山内丰德突然自杀。长年在福利政策第一线工作的他为何选择自杀?在被现实的社会压垮的时代,追踪一位在其中挣扎的官员生与死的轨迹。[获奖] 银河奖

官员。山内在他写的两本关于福利的书中，用大量篇幅叙述了推行生活援助政策的难处。进入厚生省三十年来，他一直负责福利政策方面的工作。但遭遇挫折时，他选择了结束生命……

于是我决定重新考虑节目的架构。社会的复杂之处，并不是简单地划分一下"作为受害者的市民"与"作为加害者的福利政策"就能描述出来的。

另一方面，原定于一月下旬的播出日期越来越近，于是我联系了金光先生。他忙着制作黄金时段的节目，好像并没有把深夜剧场的节目放在心上，告诉我："真抱歉，一月的节目安排已经满了，你的节目能延期到三月再播放吗？"太幸运了，这样一来我就有两个月的富余时间。于是，我打算从零开始策划，采访与山内先生之死相关的人。

先入为主的观点被现实推翻的快感

在阅读大量关于山内先生的资料时，我产生了无论如何都要和他的妻子知子女士聊聊的想法。

但是如电视和杂志报道的，情况非常糟糕。晚上，山内家所在的住宅区灯火通明。接连几天，无论白天还是夜晚，山内家的对讲门铃不断地鸣响，还有人敲门骚扰。电视台进行了全程直播。我在这个时候提出采访的请求，对她来说无异于雪上加霜，所以决定等山内先生的七七法事过后再去拜访。

其间，《AERA》杂志刊登了一篇关于山内先生的报道。

作者是《朝日 Journal》的原主编伊藤正孝先生。他和山内先生是福冈县首屈一指的名校修猷馆高中同年级的校友。文章主要围绕山内先生参与的福利工作以及最后选择死亡的事情，情感真挚，是篇非常优秀的报道。

我写信给伊藤先生，得到了与他见面的机会，并将节目的台本拿给他看，也表达了想见一见山内夫人的想法。伊藤听了之后说："她不想看到丈夫的死被媒体当成赚取利益的工具，所以一概不接受采访。但看了你的立意，我觉得她会愿意接受你的采访。我帮你联系看看。"过了几天，我接到了伊藤先生打来的电话："山内夫人愿意接受你的采访。"真是幸运至极。

一月十日，新年过后没多久，我拜访了山内知子女士位于町田的家。一进屋，我首先给佛龛上了一炷香，之后坐在玄关一侧的榻榻米房间里，心情特别忐忑。说实话，我不知道该如何进入话题（但至少知道不能以"你有发声的义务"、"大家都想知道事情的细节"等开始谈话）。

知子女士给我看了一只抽屉，里面装满了山内先生所写的诗歌和笔记。其中有一首名为"但是"的诗，后来我将它用作了节目的名字。我浏览着资料，并诚恳地请求知子女士："我想将山内先生为福利政策做出的努力制作成节目，所以无论如何也想请您出镜。"

在说出请求时，我的内心其实做了一番斗争："我的行为对她来说或许太残酷。她刚刚失去了多年陪伴在侧的丈夫，就让她在摄像机前讲述出事当天的情形，这是否太欠考虑了？"

然而，知子女士却这样回应我：

"对我个人来说，无论说什么，都只意味着我失去了丈夫。但是他的职业具有公共性，他的死也存在着社会性的一面。况且，节目是关于他一生都在致力推行的福利政策，我出面讲述应该也是他想看到的。"

三个小时后，我从山内家出来，手上除了山内先生写的诗歌和文章，还拎着四个橙子。那是临出玄关时山内夫人递过来的，她说："我的丈夫也是这样，从事你们这种工作的人，往往不注意补充营养。"我真的值得她这般体贴周到地对待吗？走在去往车站的昏暗小路上，我心中喜忧参半，决心努力制作出能回应她这份情谊的节目。

山内先生写于学生时代的诗歌、文章，以及工作时期关于福利政策的论文一篇篇地展现在面前，我感受到了在福利被削减的时代，一个怀有良心的政府公职人员是如何走向崩溃的过程。同时，我切身体会到以这些感受为基础，将采访中发现的事实编织进节目，能使节目拥有与复杂的现实相匹敌的深度。

这也是先入为主的观念被现实推翻带给我的快感。

个体的死亡和公共性的死亡

时间顺序有些颠倒，请见谅。当时我通过宣传部门，提出了想采访环境厅的要求，谁知第二天富士电视台的报道部门就打来电话叮嘱我："别擅自行事，否则会让我们很难办。"

也就是说，采访的事情只能通过他们报道部门进行。

我怀着不好的预感，再次拨通了环境厅的电话。一听是我，对方就说："你不是富士电视台的人吧。我们没有义务接受像你们这种连记者俱乐部都没有加入的外包公司的采访。"说完很快就挂掉了电话。对他们（环境厅和电视台）来说，制作公司直接提出采访申请的做法是有违规矩的，然而我对此一无所知。

新闻工作者有权利拿起摄像机拍摄，是以"代表国民的知情权"为首要前提的。我被排除在这种前提之外，无法以"知情权"为后盾拿起摄像机拍摄对方，除非找到充分的理由。

我制作的是在电视台"播放"的节目，这与被视作"自我表现"的独立拍摄的纪录片有本质区别。

我苦苦思索，"播放"的行为究竟是什么？如果不是为了报道，纯粹只是拍摄纪录片的话，该以什么理由去采访呢？如果不是为了知情权，那么被采访者又是基于什么理由接受采访呢？没有对这些疑问的重新认识，我就失去了拍摄的理由和依据。

我开始思考这些问题的契机，是知子女士所说的"个体的死亡"和"公共性的死亡"。

知子女士明确地看到，丈夫的死亡中，存在私人的部分和公共的部分，因此才说："我会说说丈夫的死亡中属于公共性的部分。"多么成熟的态度啊。

然而大部分媒体在采访死者家属时，更多的是着眼于私人部分，即死亡带给亲人怎样的冲击和悲伤。这是为什么呢？因为私人的悲伤情绪往往更能引起民众的共鸣，媒体工作者无需多作思考就可以写出一个很好的故事。但是，新闻报道（或纪录片）本来不该着眼于揭露事件中与公共及社会领域相关的部分吗？

我通过纪录片讲述的大多是事物中关于公共领域的部分，因此不管批判哪个方面，不管批判谁，最后都不会停留在个人攻击上。我重视的是解读催生出这样的人的社会结构，从而展现出的宽度和深度。

当然，拍摄者也会看到与之相伴的私人部分，拍摄者与被拍摄者的关系中，有时也会以私人部分的内容为中心。但并非只是拍摄私人部分，而是要时刻关注私人部分中存在的公共部分。是否有这样的视角，决定了节目讲述的对象是开放的还是封闭的。

"在我看来，拍摄者与被拍摄者只是碰巧处在摄像机的两端，而所谓播放，就是双方在作品或节目的拍摄过程中共同努力，创造出丰富的公共性场所以及公共的时间。"如果这个观点成立的话，拍摄者和被拍摄者就不会处于对立的境地，可以共享在同一种哲学理念下拍摄出来的节目。这可能只是我理想化的观点，但其中包含着让这期节目成立的依据。（对待权力要另当别论。拍摄警察或政治人物等有官方立场的对象时，偷拍和监听等手段都是必要的。即使被起诉也无妨，输了官司也无妨。必须拍的还是要拍，这是拍纪录片时应该坚持的信念。）

对话所带来的东西

当时，无论是纪录片的拍摄者还是观看者，都有一个共通的信仰："即使纪录片收视率不高，只要是为了揭露社会问题或者批判政府，那节目题材和播放本身就具有意义。"（不仅限于当时，现在或许依然如此。）

但是，有些人不去提升影像质量、改善故事架构，单纯依靠题材，哪怕做上三十年，就能称得上是有趣的电视节目吗？我始终认为身为电视节目的创作者，这种"题材主义"的做法过于天真。我只想拍摄自己觉得有趣的作品，不以节目的主题揭露社会现实，而是使题材本身成为一种娱乐。于是，我决定在《但是……在福利削减的时代》中，尝试加入美国新新闻主义的文风，并模仿杜鲁门·卡波特[11]的《冷血》[12]和泽木耕太郎[13]的《恐怖行动的决算》[14]的形式来创作。

《NONFIX》是只在关东地区播放的深夜电视栏目，无论什么题材的节目，收视率一般连百分之一都达不到，但从观看人次上来看，也有五六十万人。

事实上，《但是……在福利削减的时代》的反响非常大，还重播了两次，这是很少见的。我不仅接到了接受生活援助的民众的电话，还接到了厚生省的工作人员和政客秘书的匿名电话，他们告诉我："我也做着一些跟山内先生一样的工作，但是很多时候都身不由己。"在市民和政府人员间都引起了反响，就是节目并非片面讲述问题的证据，我庆幸自己制作了这样一部纪录片。到现在，为宣传电影到各地接受媒体采访的时候，还会有年轻的同行对我说"我在学生时代看过那个节目"，我听了真是无比欣喜。

还有一件令我开心的事，在节目重播的第二天，我接到了来自 AKEBI 书房（出版社）的电话，他们建议我："不如把这个节目写成书吧。"

事实上，一开始节目长达两个半小时，最终版压缩到了四十七分钟，所以很多内容与小插曲不得不舍弃。当时我便想能否就山内先生的事情写点什么，或者再制作点什么来弥补这个遗憾。因此收到出版社的委托之后，我很快联系了知子女士，向她说明情况，并希望她允许我再次采访。之后的九个月，我大约每月去拜访知子女士两次，最终写出了我的第一本书《但是……追踪一位福利政策高级官员之死》[15]。

再次采访知子女士的时候，不用说摄像机，我连录音工具也没带，也尽量避免当着知子女士的面做笔记。

每次前去拜访，知子女士总会做山内先生喜欢的炖牛肉和菜包肉等招待我。我一边吃，一边听她讲述与山内先生之间的点点滴滴。这样的情形下，如果我放下筷子，从包里拿出笔记本和笔，就太失礼了。在无论如何都想记录的时候，我会借上洗手间的空当，拿出笔记本记录，然后再次回到餐桌边继续刚才的谈话。

有一点希望大家不要误会，拍摄者和被拍摄者同处于开放场所的时候，摄像机和录音设备是可以使用的。构筑起能容许摄像机存在的关系很重要。但那个时候，我常常会担心，"留下记录"的行为会不会破坏双方拥有的充实的时光？虽然是以采访的形式展开谈话，却成了知子女士回味与丈夫共同度过的时光，吐露思念之情的场合。

这样说可能有些僭越之嫌，但知子女士定期向我这个外人讲述丈夫的事情，从某种意义上来说也像服丧一样。像《幻之光》中的女主人公那样，能向别人传达内心的哀伤，不正体现了人的坚韧和美丽吗？而我作为接收者，非常珍惜这份难得的体验。

如果没有我的存在，这些心绪可能连成为自言自语的机会都没有，却终于变成了对话，我想这对知子女士来说也有一定的意义。整个采访快结束的时候，知子女士开始在地区民生委员会从事与丈夫一样的福利工作，渐渐从死亡的阴影中走了出来。"我家那位一定也很开心。"她的话使我的心也温暖起来。

之后发生了一件有趣的事情。

当我把出版的书拿给知子女士的时候，她问我："你知道我为什么愿意接受你的采访吗？""不知道。"我如实回答。知子女士接着说："你第一天来这里的时候，拘谨地坐在榻榻米上。当时的你，跟丈夫和我相亲时的样子非常像。"也许决定接受采访的因素是极其个人化的直觉和记忆。说起我被山内先生吸引，其实也是因为他从小学到中学写的诗歌和文章，俨然出自自己的手一样（当然，我并没有成为山内先生那样的精英）。这份共时性（Synchronicity）也成了我写《但是》一书的原动力。换句话说，就是由我来写是最合适的，我深信只有自己才能准确而立体地描绘出山内丰德这个人物。当时我的确有这份自负。

另外通过这次写作，我明白了一件事：我嘴上说采访是从个人走向公共的行为，但只是以福利为入口，关注的却是一对夫妻的生活状态、一位女性如何走出丧夫之痛的过程。对私人部分的关心，随着采访的进行变得越发强烈。通过这次采访，我也深深地认识到自己毕竟不是记者。

总之，拍摄第一部电视纪录片时，能够有幸与山内夫妇相遇，而且为了写书与知子女士相处了将近一年的时光，这些对我来说都是莫大的财富。

另一种教育——伊那小学春班记录

1991

与孩子们一起吃饭、拍摄的每一天

关于山内夫妇的采访，成了我"采访的初体验"。为什么这么说呢？因为我之后的大部分作品都是在完成某种服丧，有时候是自己的服丧。

接着拍摄的《另一种教育——伊那小学春班记录》也是讲述在毫无预警的情况下体验死亡的孩子们，如何从死亡的阴影中走出来，将悲伤升华的姿态。

上文也提到过，一九八八年四月，我进入 TV MAN UNION 快满一年的时候，开始拒绝去公司。那时，旅行节目中经常有意识地从拍摄角度中剔除核电站事故，而且，制片人表面上说尊重个人的独立性，却擅自决定人员的轮换，现在看来属于职权骚扰的行为，以前却被视作理所当然。当时我以为自己拒绝去公司是为了反抗这股风气，但如今回想起来，无非是自己在拍摄现场一无是处，自尊心受到了伤害而已。

这个时期，我的一位中学同学推荐给我一本书，书名叫《百姓入门记》[16]。

这本书的作者是曾经当过《周刊朝日》主编的小松恒夫先生，他因为过度疲劳病倒，在接受治疗期间，开始将环境、教育等社会问题当作自己身边的问题进行审视，写了这本书，是一本非虚构著作。我意识到，如果我也具备小松先生的视角，或许就能找到与自己的生活密切相关的播放和新闻工作者的理想状态。小松先生还写过《由孩子们创造教科书的学校》[17]一书，主要走访了长野县的伊那小学，这所小学上课时不用教科书，实行"综合学习"的教学模式。这令我想起了大学时代看过的一则感人的新闻报道，那是在朝日电视台《新闻站》播放的节目《饲养小牛的小学生们》。

节目组历时九个月，采访和拍摄伊那小学春班一年级的孩子与荷尔斯泰因牛晴美共同度过的校园生活。这个系列节目以一年级学生升学，晴美长大后与孩子们分别的场景画上终点。

我怀抱着美好的愿望，来到心仪已久的拍摄现场，但是在入行的第一年便遭遇了挫折，渐渐失去了拍摄的欲望。但我想："如果是伊那小学的孩子们的欢笑和泪水，我倒是想拍。"这是我那时的真实想法。

于是，我很快联系了校方，提出想观摩学校的课程。出乎意料的是，他们爽快地接受了我的请求。六月，我初次前往伊那小学。

伊那春班的孩子们已经是三年级的学生了。我去的时候，他们正热火朝天地聊着，想再次饲养一头小牛。"这次想把小牛养到成年，这样就可以挤奶了。"说起这个话题，孩子们都热情高涨。我带着用银行贷款买的当时大众款中性能最好的 S-VHS 录像机（四十二万日元），在工作间隙来到伊那小学，记录孩子们的种种努力。

事实上，在《饲养小牛的小学生们》以令人感动的分别场面结束后，孩子们和班主任老师依旧过着和以前一样的生活，但是大众媒体不会报道这样平淡无奇的日常。所以我想，由我自作主张来拍续集也并无不可。

学校实行综合教学方式，在前一天决定第二天的日程安排。如果孩子们当天在数学课上十分活跃，班主任有权将第二天的课改为数学。从我的观察来看，这是个正确的做法。

难得的是，老师也乐在其中。春班的班主任叫百濑司郎，由

©TV MAN UNION

《另一种教育——伊那小学春班记录》
［**播放时间**］1991 年 5 月 28 日／富士电视台《NONFIX》栏目／47 分钟　［**制作**］TV MAN UNION　［**概要**］长野县的伊那小学实行不使用教科书的综合教学方式。节目记录了春班三年级的孩子与小牛罗拉相处的三年中发生的点点滴滴，由是枝裕和用家庭录像机拍摄而成。［**获奖**］ATP 奖优秀奖

于要照顾小牛，每个周末他都要来学校，即使在暑假期间也没有一天懈怠。要是没有足够的思想准备，大概无法坚持下去，我觉得正因为有这份热情，才会有如此有意思的学校。

另外，如果教师充满活力，对孩子们的意义也非常大。实际上，孩子们心里觉得照顾牛太麻烦了，但是开班会时，他们却说："百濑老师这么努力，我们会帮助你的。"通过拍摄伊那春班，我切身体会到教师的榜样作用比任何教育都重要。

孩子们应该不知道我的来意。电视台和报社总是以团队的形式过来，他们很快就能明白是采访，也早已习惯了各个机构的采访。因此第一次来的时候，他们也问我："你是什么电视台的？"在一年一度的公开课当天，大型巴士会载着全国各个学校的几千名老师来到这里。孩子们已经习惯被人参观校园生活了。

但是我没有任何播出计划，属于纯粹的自主拍摄，而且还是单枪匹马地来到这里，跟孩子们一起用餐，放学后与他们一起玩耍。他们大概觉得"背着录像机的大叔是来跟我们玩的吧"。后来跟长大的孩子们再次见面的时候，他们对我直言："我们都以为是枝先生不是来工作的。"正因如此，我受到了跟其他团队和工作人员不太一样的对待，也看到了孩子们没有在其他人面前展露过的神情。

孩子们从三年级开始饲养的小牛罗拉，顺利地长大并成功受孕了，预计会在二月，也就是五年级第三学期生下小牛。

然而，在第三学期开始前的寒假里，罗拉就生下了小牛，整整比预产期早了一个月。发现的时候，小牛的尸体已经变得冰凉，孩子们流着泪水安葬了小牛。小牛死了，但是母牛依然会有奶水，孩子们不得不每天去挤奶。他们实现了当初挤奶的目标，在吃饭时喝到了热牛奶，然后将这份心情写到了诗歌和作文中。

以下就是孩子们写的一首诗：

哗啦啦
今天也来挤牛奶
发出悦耳的声音，大家都来挤牛奶
大家都很开心，但也很悲伤
虽然能够挤牛奶，但是小牛没有了
虽然悲伤，还是要挤牛奶

因为小牛的死亡而悲伤，但也因为挤牛奶而开心，孩子们在诗中原原本本地体现了这种复杂的感情。在这个过程中，孩子们的成长是如此顽强和美丽。

结束采访半年后，我读了精神科医生野田正彰[18]的著作《在服丧之路上》[19]，这是一部非虚构作品，讲述日本航空123号班机空难事件的亲属如何修复亲人离世的心理创伤。我看到书中有一句话"人在服丧时，也可以具有创造力"，不禁想起了伊那小学春班的孩子们，也想到了山内知子女士。我重新认识到，伴随服丧的并非只有悲伤与痛苦，人还会在这个过程中得到成长。

必须在东京找到自己的一席之地

一九九一年三月，距离开始拍摄伊那春班已经过去两年零八个月，我的企划案最终在《NONFIX》栏目通过了。第一部纪录片《但是……在福利削减的时代》播出后，得到了不错的评价，金光先生就问我："还有其他的企划吗？"因此，拍摄完伊那小学春班后，我将剪辑好的片子拿给他看，他当场就决定在《NONFIX》播放。正如小松先生所言，从自身感受到的愤怒、疑惑、喜悦、悲伤等情绪出发完成作品，所谓的"工作"才得以成立。在拍摄《但是……在福利削减的时代》时，我面临着若是不成功，将无法在业界立足的巨大压力。没想到因为这部片子得到了下一个工作机会，我激动不已，安心感也随之而来——这样一来还能继续在这一行干下去。

节目预定于五月播放。不可思议的是，即使我一直尝试着以客观的视角制作一部教育节目，但是拍出来的节目中，到处都掺杂着我个人感情的表达。无论如何，拍摄者毕竟是自己，拍出来的画面毫无疑问会跟自己的视角一致，因此我重新认识到："所谓的拍摄角度和构图，就是拍摄者如何观察拍摄对象。"通过这段时期的节目制作，我获得了很多宝贵的经验，在实际拍摄中印证并更新了大学时期通过文字获得的对纪录片的理解，还加深了对摄像机等器材的认识。

另一方面，仍然有两个疑问困扰着我。

与伊那小学春班的孩子们在一起

当我在教室里拍摄的时候，孩子们一看到摄像机，就会对着它摆出 V 字手势，或者立即看向镜头。剪辑时,我剪掉了这类镜头，但又觉得，孩子们意识到摄像机的存在后做出那些反应不是更自然吗？这是我的第一个疑问。

在照看小牛的孩子中，有孩子因为放学后要去上补习班而逃避轮值，结果在教室受到围攻。虽说是乡下小学，但这就是现实。我考虑到逃避轮值的孩子的处境，最后剪掉了这些镜头。也就是说，我在节目中并非秉持"公平、中立"的态度，而是要突破拍摄一档教育节目的想法，只是纯粹地被孩子们和伊那小学的爱感动，制作一曲为他们呐喊助威的歌曲。这样一来，所谓的纪录片究竟是什么呢？又该拍摄什么内容呢？这是我的第二个疑问。在伊那小学，除了这些疑问和课题，我还认识到拍摄那些自己热爱的事物，并制作成节目，需要下多大的决心，面临多少困难。

另外，还有一个更大的课题遗留了下来。

有一次结束拍摄后，我记得是跟班主任百濑老师一起去吃野猪肉火锅。当时，他对我说："是枝先生能来到春班，对我们来说是莫大的鼓舞。我也很开心，但这个教室是属于我和孩子们的地方。是枝先生要面对的孩子，不是应该到你出生和成长的东京去寻找吗？"

几年前，伊那小学春班举行同学会，我再次见到百濑老师，就说起了那时候的事情。"我说过这么失礼的话吗？"他完全忘记了当初的话，但我却是想忘也忘不掉。在伊那小学拍摄的时候，百濑老师大概感受到了我在东京受挫，才逃到伊那小学的情绪。其间我也向他坦承过："我是为了逃避现实才来到这儿的。"所以他才在私下里对我说："你应该到东京寻找你想拍的东西。"在东京，我该面对的孩子究竟是谁呢？这个疑问在不久之后酝酿出了《无人知晓》这部电影。

注释

[1] —— 大岛渚
电影导演。1932 年生于日本冈山县。从京都大学法学系毕业后，进入松竹公司。1959 年，执导处女作《爱与希望之街》。代表作有《日本的夜与雾》《感官世界》《圣诞快乐，劳伦斯先生》《御法度》等。1960 年开始踏足电视行业，先后拍摄了纪录片《被遗忘的皇军》，以及自编自导的电视剧《青春的深渊》等，引起很大关注。2013 年去世。

[2] —— 创造社
电影制作公司。1961 年，由大岛渚与妻子、同时也是演员的小山明子，以及编剧田村孟、石堂淑朗，演员小松方正、户浦六宏 6 人共同创立。

[3] —— 佐佐木守
编剧。1936 年生于日本石川县，毕业于明治大学文学系。1961 年，以广播剧《少年火箭部队》出道。1964 年加入创造社，与大岛渚合作了《忍者武艺帐》和《绞死刑》等影片。其后结识导演实相寺昭雄，开始担任《奥特曼》的编剧工作。代表作有《赛文奥特曼》《柔道一直线》《银色假面》《泰罗奥特曼》《七名刑警》等。2006 年去世。

[4] —— 《奥特曼》
圆谷制作公司制作的特摄片，从 1966 年 7 月至 1967 年 4 月在 TBS 电视台首播，共 39 集。

[5] —— 《赛文奥特曼》
从 1967 年 10 月至 1968 年 9 月在 TBS 电视台播出，共 49 集。

[6] —— 上原正三
编剧。1937 年生于日本冲绳县。从中央大学文学系毕业后，进入圆谷制作公司。1964 年，在《有何不可》中首次担任编剧，1969 年成为自由职业者。代表作有《奥特曼》系列、《加油啊!! 小露宝》、《秘密战队五连者》、《宇宙刑警》系列等。

[7] —— 《归来的奥特曼》
1971 年 4 月至 1972 年 3 月在 TBS 电视台播出，共 51 集。

[8] —— 《我的火山》
1968 年 1 月 11 日在 TBS 电视台播放的节目，以青春为主题，透过现代都市少女年轻的双眼，将鹿儿岛的各种历史遗迹和景色如绘画般拼贴起来。

[9] —— 《母亲走了——在幻想幸福的时代，追问"繁荣"日本的福利》

水岛宏明著，1990 年由 HITONARU 书房出版。

[10] —— 山内丰德
政府官员。1937 年生于日本福冈县，毕业于东京大学法学系。参加国家公务员考试时，在报考的 99 人中，以第 2 名的成绩进入（当时的）厚生省。其后从事与福利相关的事业，参与制定公害对策基本法、创立日本癫痫协会。之后调任至（当时的）环境厅，历任官房长、自然保护局局长、企划调整局局长。1990 年，在水俣病认定诉讼中担任政府方面的负责人。同年 12 月 5 日，在家中自杀身亡，时年 53 岁。

[11] —— 杜鲁门·卡波特
小说家。1924 年生于美国路易斯安那州。17 岁成为《纽约客》杂志的编辑。19 岁凭借短篇小说《米利亚姆》获得欧·亨利小说奖，被评价为"后生可畏"。代表作有《别的声音，别的房间》《夜树》《草竖琴》《蒂凡尼的早餐》《冷血》等。1984年去世。

[12] —— 《冷血》
杜鲁门·卡波特于 1965 年发表的小说。

[13] —— 泽木耕太郎
非虚构作家、小说家。1947 年生于日本东京。从横滨国立大学经济系毕业后，成为记者。1970 年凭借《防人的布鲁斯》出道。代表作有《人的沙漠》、《恐怖行动的决算》、《一瞬的夏天》、《深夜特急》系列、《檀》、《天涯》、《血之味》、《无名》、《冻》、《旅行的力量》、《一颗流星》、《去银色森林》等。

[14] —— 《恐怖行动的决算》
泽木耕太郎著，1978 年由文艺春秋出版，获大宅壮一非虚构作品奖。

[15] —— 《但是……追踪一位福利政策高级官员之死》
是枝裕和著，1992 年由 AKEBI 书房出版。2014 年，改版为文库本《云没有回答——一位政府高官的生与死》，由 PHP 文库出版。

[16] —— 《百姓入门记》
小松恒夫著，1979 年由农山渔村文化协会出版。1988 年，由朝日文库出版文库本。

[17] —— 《由孩子们创造教科书的学校》
小松恒夫著，1982 年由新潮社出版。

[18] —— 野田正彰

精神科医生、非虚构作家。1944 年
生于日本高知县。著有《在服丧之路
上》《战争与罪责》，与他人合著《可
以判麻原死刑吗》等。

[19] ——《在服丧之路上》
野田正彰著，1992 年由岩波书店出版。

第三章

执导与作假

1992 — 1995

《支撑繁荣的时代——受歧视部落实录》1992

《我曾经想成为日本人》1992

《印象素描——每个人心中的宫泽贤治》1993

《没有他的八月天》1994

《纪录片的定义》1995

纪录片的拍法

会随着时代发生变化

支撑繁荣的时代——受歧视部落实录

1992

支撑"繁荣"时代的人们

之后，我一直在继续拍摄纪录片。

拍完《但是……在福利削减的时代》之后，我接到了拍摄《支撑繁荣的时代——受歧视部落实录》的邀请，这部片子会在研讨会和学校等地放映。

一九九一年六月十二日，经富士电视台的编导石山辰吾介绍，我认识了与部落解放同盟[1]（简称"解同"）相关的部落解放研究所的加藤先生。加藤先生看了《但是……在福利削减的时代》之后，向石川先生提出了想通过纪录片传达部落现状的想法，石川先生就把这个委托交给了我。因缘际会，才促成了我们三人的见面。我对"部落"这个主题很感兴趣，但是详细情形却一无所知，因此决定借这个机会好好学习一番。

解同保留了一份因不堪歧视而自杀的部落女子写的遗书，他们希望我以这份遗书为中心，制作一个类似《但是……》的节目。

可我不想拍摄只从被害者角度出发的浅显易懂的节目。相反，我想从加害者一方出发，讲述受歧视的部落的人们如何支持战后复兴，使日本走上高速发展的道路。因此，我和解同的人士一起走访了北九州的煤矿、报废汽车解体厂，以及东京浅草的鞣革工厂等地。

采访过程非常有趣。采访对象中，很多人曾经混迹黑社会。他们出生于受人歧视的部落，后来加入暴力团体，在监狱中知道了解放运动，所以出狱后洗心革面加入到解放运动之中，他们中的很多人都非常正直。在电影《无仁义之战》中，菅原文太扮演了一个在广岛县吴市从事废品回收工作的男人，我也采访了这个人物的原型（据说是）。

在东京生活的时候，人们并不会明显地意识到部落问题的存在，但是在某些地域，部落问题相当严峻。去秋田县的受歧视地区的时候，别人告诉我："这里是秽多 [2] 部落，那里是非人 [3] 部落，彼此互不往来。"这里有个不成文的传统，部落的人只能与同部落的人通婚，秽多部落的男子不能娶邻近的非人部落的女孩为妻，宁可到其他县去寻找秽多部落的女孩结婚。这种习俗本不该出现

《支撑繁荣的时代——受歧视部落实录》

[播放时间] 1992 年／ＶＨＳ／部落解放研究所／54 分钟 [概要] 本片并非罗列部落受歧视的事件，而是追踪其背后的社会结构，以此让观众重新思考何为"部落"。全片分为《军队和受歧视部落——广岛县吴市》《煤炭产业和劳动者——福冈县田川郡川崎町》《汽车产业和报废车解体行业——京都八幡市》《答复和被置之不顾的部落——新潟县神林村》《周边地区居民的意识——大阪羽曳野市》及《皮革产业和外国劳动者——东京墨田区》六个主题讲述。

在现代社会中，着实令我惊讶。

途中还发生了一件有意思的事。同行的人中有一位历史研究员，他在我们面前摊开地图说道："这里有座城，这儿有河流经过。看来，要去的地方大概在这个位置……"依据他的推测，我们前去的地方几乎都有部落存在。这位先生的话令我意识到，我们往往觉得是因为权力关系才衍生出明显的部落歧视，但其实也有地理上的因素。

我们也去了有很多受歧视的部落民众工作的屠宰场进行采访。

屠宰业（屠宰野兽、家畜）在过去是非常辛苦的行业，现在随着技术的进步，很多环节都由机器完成，一到中午活儿就干完了，工人们大白天就喝起酒来，因此遭到附近很多人的白眼。但他们只能从事这份工作，所以情况无法得到改变。

一位接受采访的男子不把最好的肉拿到市场售卖，而是带回家自己吃。采访的时候，他还用非常美味的肉招待我们。我记得是牛肚天妇罗。无论去什么地方，那里的人总会热情地招呼我们"尽管吃"、"尽管喝"、"住在我们家"，对我们这些来采访的人表现出热忱而坦率的态度。

但是跟身边的朋友聊起我正在拍与部落相关的纪录片时，他们基本都抱着这样的态度——"为什么要拍"，"部落的事情，我们保持沉默不就好了吗"，"没必要叫醒沉睡的孩子吧"。我一面思考着拍摄和传达的含义，知晓和让别人知晓的含义，一面试图讲述那些"不会因沉默而消失的歧视"的故事。

然而，结果并非如我期待的这般理想。我采访了各个不同的地区，但是采访对象大多是解同的活动家，他们的讲述只能称为"活动语言"，很难拍摄到真实的生活景象。不过在新潟县采访时，我拍到了一位偶然路过的老妈妈，另外在浅草采访到一位鞣革行业的工人，他们不属于解同，所以拍摄到的内容非常有意思。

　　这部纪录片的制作费用为一千万日元。在《NONFIX》，总费用约为六百万日元，这个数额算是特例。

　　事后我才知道，这一千万日元是因某家航空公司答应大量购买制作完的节目才凑齐的。因为那家公司取消了出身部落的应聘者的录取资格，在解同的压力下，不得已答应购买节目做社内培训之用。

　　总而言之，解同有作为施压集团的一面，他们一旦发现哪里有歧视现象，就要求对方公司召集领导和人事负责人举办放映会，施压让对方购买节目，获得的资金则用于纪录片的制作。不提前告诉我这个情况其实是不合规矩的，但总之，我在一无所知的情况下接下了这份委托。因此，TV MAN UNION 不出现在制作方的名单中，我以个人的名义接下这项工作，署名为导演。

　　不过，我也收获了宝贵的经验，比如去了平时无法前往的地方采访，倾听了形形色色的人的故事。直到现在，我依然对部落解放研究所的加藤先生心怀感激之情。对于阅历尚浅的我来说，仅仅是知道我们此刻的富裕生活构筑在怎样的"加害"历史上，就具有莫大的意义。

我曾经想成为日本人

1992

印象素描——每个人心中的宫泽贤治

1993

没有他的八月天

1994

多角度拍摄不同的人

接下来，我想谈谈《我曾经想成为日本人》。这是我在《NONFIX》中与编导小川晋一合作拍摄的"思考在日朝鲜人"系列中的一期。

事情的开端是一位在静冈县经营旅馆的四十岁男子因伪造护照被捕，调查后得知他是在日朝鲜人，因多次前往韩国，被怀疑是间谍。旅馆面临关门的命运，他也在保释期间下落不明。

在接受警察问询的时候，他留下一句话——"我曾经想成为日本人"。我打算以此为线索，重走他半生所走的道路。我来到他在韩国乡下的故乡，追寻他在这里生活的痕迹。在节目中，我进行了一项实验性的尝试，就是当事人直到最后都没有出场，只拍出他的心路历程，可谓另类的公路片。

再说说我的另一部作品《印象素描——每个人心中的宫泽贤治》，它是在东京电视台《纪录片人间剧场》[4]栏目播放的节目，讲述那些像宫泽贤治一般的市井人物的故事。其中一例采访对象是在岩手县一家叫蓝毗尼学园的残疾人援助机构，学习用黏土制作面具的孩子们。

他们离开至亲独自生活，看到有外人来采访，开心极了。在镜头面前，他们一点也不在意摄影师究竟在拍什么，自在地亲密互动，甚至热络地跟工作人员聊起来。

当中有一位叫中居宏之的年轻人，他将黏土抹到别人的脸上，通过拓模的方式制作面具。有一次，他问站在摄影机旁的我："能拓你的脸吗？"（我回答"可以啊"，就让他拓了脸。）那天晚上在房间拍摄用随身听听音乐的场景时，他对摄影师说"听吗"，然后将耳机递了过去。摄影师伸出手接过耳机塞入耳中，他不好意思地笑着说："是《Love Me Do》，我很喜欢披头士乐队。"

在剪辑室看到这两个场景时，我感受到在那一刻，拍摄者和被拍摄者共享着同一个空间。

所以，我有意识地将拍摄对象对拍摄者产生的"影响"加入节目中。从整体来看，这样的"影响"使节目显得更加真实。说得更准确些，我感觉拍摄者和被拍摄者之间透明的隔膜消失了。在拍摄伊那小学的时候，我剪掉了这些镜头，这次却保留下来，

《我曾经想成为日本人》

［播放时间］1992 年 6 月 30 日 / 富士电视台《NONFIX》栏目 /47 分钟 ［概要］1985 年，一位在日朝鲜人因违反《外国人登记法》而被逮捕，他对自己的妻子也隐瞒了真正的国籍，保释后下落不明。影片追寻他半生的轨迹，思考生活在日本的朝鲜人的困境。［获奖］银河奖鼓励奖

这成了我从立体的角度而非片面地理解纪录片的契机。

说些题外话，《纪录片人间剧场》是由优秀的总编室主任亲自企划的系列节目。在策划会议上，他还邀请了若干名制作公司的导演出席。会上提出了很多出色的构想，比如"预算虽然不多，但在节目片头会出现导演的名字"，"要制作重视导演自身创造性的纪录片，以此与 NHK 形成差异"，"不设禁区，什么都可以拍"。

然而节目组始终拉不到赞助，最后勉强找到了日本船舶振兴会和味之素公司，因此我的第一个企划案没有通过。我想拍一个像今村昌平 [5] 的纪录片电影《人间蒸发》[6] 那样，讲述抛弃家庭消失无踪的人的故事。但味之素拒绝了，理由是"我们是重视温馨家庭的企业"，节目忽然变得满是禁区。在这样的情况下，我只拍摄了其中一期节目。不过，这个栏目在八年间还是拍摄了不少有意思的节目。

第二年，我拍摄了《没有他的八月天》。一九九二年秋天，我采访了日本首位公开承认自己因性行为感染艾滋病的患者——平田丰。

当时往往只能从正面讲述残障人士或者病患的故事，有时不得不美化其中的细节（电视的情况尤其如此）。所以当 TV MAN

《印象素描——每个人心中的宫泽贤治》

[播放时间] 1993 年 2 月 23 日 / 东京电视台《纪录片人间剧场》栏目 /46 分钟　[概要] 讲述一群市井小人物的故事，他们与宫泽贤治一样，过着与自然交融的生活。其中有在山上种下树苗、培育树木的人，也有用黏土制作人脸模型的男孩……是一部充满诗意的作品。

UNION 的制片人坂元良江问我有没有兴趣拍摄时，我本打算拒绝。但是见到平田丰先生之后，这个印象完全被推翻了。他口才极好，言语间充满辛辣的讽刺，是个很有魅力的人。这样一来，就能刻画一个极具深度的人物形象，所以我开始了拍摄。

他就像对待聊天对象或者志愿者一样对待我们，所以拍下来的毫无疑问是"平田先生和我们共有的时间"。他不仅依靠口才和讽刺的话语引我们发笑，同时也向我们寻求生活上的帮助。

我将在上一部作品中意识到的"描述人与人之间的关系"的方法作为这期节目的主轴，首次尝试使用第一人称的旁白。我并非想加入客观的信息，而是想将个人的感受加入节目中。

泽木耕太郎的《一瞬的夏天》[7] 是我重要的参考资料。他曾在《恐怖行动的决算》中借用美国新新闻主义的叙事手法，以第三人称写作。在《一瞬的夏天》中，他将这种手法进行了升级，直接将笔端深入到采访对象和自己的关系中，摸索出"私非虚构"这一写作手法。

我将这种方法应用到纪录片的拍摄中，旁白不再是客观的表述，而是明确地以"我"为主语，尝试讲述我看到的采访对象的某个侧面，从而呈现有限的信息。这样能有效地向"纪录片就是

《没有他的八月天》

[播放时间] 1994 年 8 月 30 日 / 富士电视台《NONFIX》特别栏目 /78 分钟　[概要] 影片记录了日本首位公开承认因性关系感染艾滋病的患者平田丰的生活。这不是与病魔斗争的记录，而是着眼于一个普通人的孤独和软弱。拍摄以家用录像机为主，描述拍摄者和被拍摄者共同拥有的时间，是一部"私小说式"的纪录片。　[获奖] 银河奖推荐奖

传达客观信息"的固有观念发起挑战，在节目本身来说，也能保持诚实的立场。

不知用第一人称讲述所有的信息，即所谓的"私纪录片"作为方法论是否可行，之后我也不断在这个课题上进行尝试。

谈谈节目制作中的赞助商

接下来，我简单介绍一下制作公司的节目导演和电视台之间的关系。

跟导演打交道的一般是电视台的编导。不同的电视台体制稍有不同，以富士电视台为例，分为主要负责报道的"报道部"、制作电视节目的"制作部"以及决定制作什么节目的"总编室"三个部门。在富士电视台，总编室的权限比制作部大，总编室主任直接决定节目的内容，因此，导演将企划案拿到总编室主任面前更省事。

在九十年代，《NONFIX》还可以制作部落歧视、精神病患者等高难度题材的节目。当时的编导金光修先生如今已成为富士传媒股份公司的专务董事，小川晋一先生则升任富士电视台运营主管及编成制作部部长。虽然现在很少有机会见面，但他们两位对我来说既是恩人，也是志同道合的伙伴。他们能同我一起享受制作节目的乐趣，在内容上也对我表示了充分信任。而且他们的视角非常有意思，让我受益颇多。

在拍摄《我曾经想成为日本人》期间，小川先生还陪同我来到"朝鲜总连"和"民团"（在日大韩民国民团），向他们介绍节目内容，并获得了拍摄许可（按常理来说，如此麻烦的事情都交由拍摄人员解决，电视台的负责人一般不会出面）。

在拍摄《公害去往了何处》[8]的时候同样如此。因空气受到污染，附近居民联合起来将千叶县的川崎制铁告上了法庭。川崎制铁是千叶国际公路接力赛的赞助商，节目组在川崎制铁采访的时候，收到了来自电视台体育部的警告："你们要干什么？"小川先生强硬地予以回击："我们在拍纪录片。"

可惜的是，如此有气魄的编导现在已经没有了。如今通常都会将接力赛这种重大赛事放在首位，节目肯定会被叫停。

如果报道部播放对赞助商不利的新闻和消息，常常会被撤销赞助。但若是任由这种风气蔓延，赞助节目的初衷最后只会演变成对电视台的压力。在我看来，这样的情形不是什么好事。无论是赞助商还是电视台，都应该有不从直接的利害关系出发考虑问题的哲学思维。

在久米宏还是《新闻站》主持人的时候，曾披露了NTT非上市股权的内幕，结果可想而知，节目失去了NTT的赞助。久米先生之后略带讽刺意味地评论了一句："今天的赞助商有点不一样哦。"我当时就想："久米先生，您太厉害了！"但是，这样有勇气的行为想来很难出现在眼下的日本社会。

单就富士电视台而言，深夜节目的企划和拍摄都独立进行。从金光先生、小川先生到下一代编导，情况都是如此。决定深夜节目内容的并不是总编室的主任，而是顶着"深夜栏目策划部主任"头衔的年轻编导，因此各类极具实验性的节目才得以诞生。

然而，这个制度早在二十世纪九十年代中期就已不复存在。为了提高黄金时段的收视率，深夜栏目被并入盈利框架中。"黄金时段的节目如果是由某位演员出演，那深夜节目就让与该演员同一事务所的后辈出演。"像这样将深夜的三十分钟让给艺人的经纪公司，开始由某某公司制作节目。后来其他电视台也开始效仿这种形式。

然而这样一来，深夜节目就完全丧失了自由，无法培养出真正优秀的编导，还失去了尝试实验性节目的场所。一九九五年，我拍摄完一集节目后就离开了《NONFIX》，直到十年后的二〇〇五年，我才拍摄了《宪法》系列的《忘却》（也与我在此期间去拍电影有关）。

顺便提一句，《NONFIX》栏目现在也在不定期地制作节目，但听说预算经费连九十年代的一半都不到。

以我的情况为例，《但是……在福利削减的时代》的制作经费为六百五十万日元，如果带着摄影师和录音师到附近拍摄的话，可以持续拍摄一周时间。《我曾经想成为日本人》由于是系列节目，比较特殊，制作经费是七百五十万日元，多出来的一百万让我实现了到海外拍摄的想法。但是据我所知，现在的制作经费缩减到了三百万至三百五十万之间，制作公司接到项目后还要扣除管理费用，那么只剩两百五十万左右是可使用经费。想一想剪辑、配乐、旁白等支出，就能预见到制作的上限在哪里。

现在，拍摄器材变得轻便了许多，导演若是自己拍摄就可以减少开支。相比之下，还是内容和题材的问题更令人担忧。

纪录片的定义

995

纪录片是通过堆砌事实讲述真实吗？

"纪录片是通过堆砌事实讲述真实。"

我经常在电视拍摄现场听到这句话。但是通过纪录片的拍摄，我发现事实、真实、中立、公平等词显得空洞而无意义。倒不如说，纪录片是"在众多的解读中，提出一种属于自己的解读"。曾担任纪录片栏目《纪实剧场》制片人的牛山纯一 [9] 说过，"所谓记录，若不是由某人记录，就毫无价值"，事情的确是这样。

这个时期，我受泽木先生的方法论的影响，开始从"个人"的视角讲述故事，与社会上普遍认为纪录片理应真实的观念分歧越来越大。正在我左右为难的时候，NHK 发生了一起严重的作假事件。

《NHK Special》栏目制作的节目《深入喜马拉雅腹地：禁地木斯塘王国》[10] 播出后，遭到《朝日新闻》的抨击，指出其内容有作假的嫌疑。NHK 成立调查委员会展开调查。整个事件最后以

NHK 的会长向公众致歉收尾。

节目从工作人员不畏万难攀越艰险的山路，来到喜马拉雅山未曾有人踏足的腹地开始。但实际上，摄制组一行是乘坐直升机到达那儿的。接着在途中又出现采访人员遭遇流沙、陷入险境的镜头，看起来流沙就在摄影师的面前涌动，但从这个充满戏剧性的构图的位置关系来看，若不是人为引起流沙，根本无法拍出来（否则摄影师就非常危险）。因此当这个镜头出现在屏幕上的时候，就知道"这位导演是允许使用这种手法的"。工作人员深受高原反应之苦的镜头，也是事后让当事者再现发生时的情形。类似这样的"作假"在节目中随处可见。

然而节目的导演或许觉得"这有什么问题吗"。在他看来，"我们只是再现了前往人类尚未踏足的地区的过程。其中的艰辛都是真实存在的，为什么不能这样做？"

确实，纵观日本纪录片的发展历史，曾经是允许类似的作假行为的。无法拍摄到真实发生的事情，就要求对方重现当时的效果。一部分创作者甚至有种冷漠的认识：只要不是偷拍，那被拍摄者一定能感受到摄像机的存在，在这样的情形下拍摄已经是"作假"了。这跟那些认为所拍的就是真实情形，自己只是将事实传达给

《纪录片的定义》

[播放时间] 1995 年 9 月 20 日 / 富士电视台《NONFIX 250 集纪念特辑》/90 分钟　[概要] 纪录片至今没有明确的定义，却有不少人抨击它的表现手法。ON THE ROAD、 TV MAN UNION、TELECOM STAFF、DOCUMENTARY JAPAN 四家制作公司携手为纪录片下定义。　[获奖] 银河奖鼓励奖

观众的创作者相比显得高明。但如果要问《木斯塘》的导演方式如何？在现在的我看来，这样的方法并不可取。

不是"再现"，而是如何面对"生成"

龟井文夫[11]的《战斗的士兵》[12]是日本纪录片历史上举足轻重的作品。电影深入战场，拍摄真实的战争场景，本是为了鼓舞士气而拍，可是拍摄完的片子却充斥着厌战情绪，跟激发斗志的初衷完全相悖。因此影片一度被禁，是部非常珍贵的作品。

这部电影中有一个场景，身在参谋室的参谋长不断地收到士兵报告"什么地方有多少人负伤"的消息。我后来才知道，这个场景是导演根据日记再现而成的。

为何要再现呢？因为拍摄的时候，要是真的发生战争就麻烦了。所以，龟井先生选择在没有战事的时候开启照明设备，请士兵本色出演。事实上，当时的胶片感光度很差，而且只能连续拍摄四十秒，在技术上也无法完成。正因为在无法实现的情况下，才允许这样的做法。

然而，现在不用这种手法也能完成拍摄。

因为有先例，部分导演就认为"现在也允许这样做"，却忽略了一个事实——纪录片随着时代在不断地进步，技术也在发生变化，方法论也会不断革新。他们陷入了自我方法论的窠臼。在电视制作现场，抱有同样想法的人不在少数。

在我看来，"作假"行为是将主观感受凌驾于现实之上的封闭态度催生出来的。在这个意义上，就算是严肃批判社会的纪录片，只要在开拍前创作者已经预设了拍摄效果，并困在这种思维之中，那不管目标多么高远，都是"作假"。如何在现实面前始终保持"开放的自我"，是纪录片导演最重要的课题。

《木斯塘》的导演对眼前发生的事实充耳不闻，而是优先考虑自己脑海中描摹出的"秘境"形象。这与我拍摄《地球 ZIG ZAG》时的态度一样，都缺乏发现的姿态。拍摄纪录片不是"再现"，而是如何面对"生成"，如果事先没有这样的姿态，就无法孕育出真正的纪录片。"生成"是令采访对象自愿打开心扉的导演方式，再现则是将自我封闭起来的"作假"行为，我觉得这两种拍摄手法应该加以区分。然而，以报纸为中心的很多纸媒并不去区分两者的目的，只是全面否定"作假"这种手段。其中的原因还是纸媒对影像的解读能力相对薄弱。

"木斯塘作假事件"发生之后，舆论一片哗然，报纸等媒体翻来覆去地发表"纪录片应该通过堆砌事实讲述真实"的论调。连电视台和制片人也批判道"导演方式不行，应该尽量避免"，这种势头愈演愈烈。我不禁有些恐慌，心想"难道又要倒退回从前吗"，便开始通过制作节目摸索究竟何为真正的纪录片。这促成了《纪录片的定义》的诞生。

在采访期间，我以自己的方式对纪录片的历史进行了梳理，觉得六十年代的纪录片明显更有意思。那个时期的导演对"执导"始终有种自觉性，全方位地呈现"主观"，并将作假上升为方法论。不同的创作者都竭力思索着"执导"这一行为。

节目将一九六七年作为新闻报道和纪录片的分水岭，介绍了当时最为出色的电视纪录片。

尤其是《河内·田英夫的证词》以及小川绅介导演的《三里冢》系列，即使放到现在，依然能在我们思考中立、公平、执导和作假问题时，给予很多启发。《河内·田英夫的证词》是《JNN NEWS SCOPE》[13] 的第一代主持人田英夫 [14] 以在越南北部采访获得的证词为基础，在播放影像的同时配上自己的讲述，是一部新闻纪录片。《三里冢》系列 [15] 则讲述了因反对修建成田机场而爆发的农民运动（三里冢斗争）。

"木斯塘作假事件"是让人们再次追问何为纪录片导演手法的绝佳机会。实际上，客观事实是无法拍出来的，这本应是拍摄者和观看者达成这个认知的好时机。

总之，日本人对"所谓的纪录片是拍摄没有人为干涉的事实"的观念深信不疑。另一方面，世界上众多的电视纪录片是通过再现的方法拍摄的，观众对它们的理解也非常深刻。所以说起来不免有点凄凉，日本的观众还没有成熟。观众不成熟，创作者就无法创作出成熟的作品，只能进行一次又一次毫无结果的争论罢了。

该如何解释并重新架构随着时代不断进步的方法论呢？身为创作者，现在正是我们应该反躬自省的时候。

注释

[1] —— 部落解放同盟
以消除部落歧视为目标的团体，成立于 1946 年。

[2] —— 秽多
日本中世以前已存在的身份制度中最低的一层，从事的职业必须世代相袭。

[3] —— 非人
日本中世以前既有的对从事特定职业者、艺能者的称呼，逐渐演变成对受歧视者的称呼。

[4] ——《纪录片人间剧场》
1992 年 10 月至 2000 年 3 月在东京电视台播出的一档纪录片栏目。

[5] —— 今村昌平
电影导演。1926 年生于日本东京。从早稻田大学第一文学系毕业后，进入松竹公司大船制片厂，成为小津安二郎的助理导演，1954 年加入日活电影公司。1958 年，执导首部影片《被偷盗的情欲》。1983 年、1997 年，分别凭借作品《楢山节考》和《鳗鱼》两次获得戛纳电影节金棕榈奖。代表作有《猪与军舰》《人间蒸发》《复仇在我》《肝脏大夫》《赤桥下的暖流》《黑雨》

等。2006 年去世。

[6] ——《人间蒸发》
今村昌平执导的纪录片，于 1967 年上映。导演跟随一位女子走访日本各地，寻找失踪的未婚夫，并将采访过程拍摄成电影。

[7] ——《一瞬的夏天》
泽木耕太郎著，1981 年由新潮社出版，获新田次郎文学奖。

[8] ——《公害去往了何处》
1992 年在富士电视台《NONFIX》栏目播出的纪录片，时长 51 分钟。节目追踪了原环境厅官员的一生。昭和 40 年代，他是推动公害治理政策出台的功臣，后来却在处理公害诉讼案件时转而维护企业一方，被视为叛徒，引发公害病患者的一致不满。

[9] —— 牛山纯一
纪录片导演。1930 年生于日本东京。从早稻田大学第二文学系毕业后，进入日本电视台成为报道记者。制作《实录剧场》《日立纪录片：游走美丽的世界》等多档电视纪录片栏目。还曾担任大岛渚导演的《被遗忘的皇军》的制片人。1997 年去世。

[10] ——《深入喜马拉雅腹地：禁地木斯塘王国》

1992年9月30日、10月1日在NHK的《NHK Special》栏目播放的节目。1993年，《朝日新闻》在头版头条批判节目"主要部分存在作假"，引起巨大关注。

[11] —— 龟井文夫

电影导演。1908年生于日本福岛县，肄业于文学院大学部。之后去往苏联，成为列宁格勒电影技术学院的旁听生。1935年，执导第一部电影《没有身影的身姿》。其后主要从事纪录片拍摄。代表作有《上海》《北京》《战斗的士兵》《战争与和平》《女人的一生》《又当母亲，又当女人》《人间独行的女人》等。1987年去世。

[12] ——《战斗的士兵》

1939年拍摄的纪录片电影。因内容表现出反战情绪，被禁止上映，影片底片也被销毁，直到1975年发现一份电影拷贝，80分钟的影片只有66分钟保留下来。

[13] ——《JNN NEWS SCOPE》

1962年10月至1990年4月在TBS播出的综合新闻节目，也是日本第一档真正有主播的新闻节目。

[14] —— 田英夫

记者、政治家。1923年生于日本东京。从东京大学经济学系毕业后，进入共同通信社，先后成为社会记者、政治记者。1962年加入TBS，同年《JNN NEWS SCOPE》开播，成为该节目第一任主持人。随西方媒体首次进入越战中的北越地区采访时，政府认为其报道态度具有反美倾向，向TBS高层施压。1968年离开该节目，之后开始参与政治活动。2009年去世。

[15] ——《三里冢》系列

小川绅介导演的纪录片，记录了因反对修建成田机场而爆发的农民运动（三里冢斗争）。从1968年的《日本解放战线 三里冢的夏天》到1977年的《三里冢 五月的天空 回家的路》，一共有7部。

第四章

非黑 非白
2001 — 2006

《距离》2001

《忘却》2005

《花之武者》2006

描述灰色地带

距离

2OOI

犯罪犹如我们社会的脓疮

在《距离》中，我没有讲述常常以正义的化身出现在媒体上的"受害者亲属"，而是将焦点对准非黑非白的"加害者亲属"。某个宗教团体向净水厂投毒，造成了严重的无差别杀人案件，之后集体自杀。在影片中，我以加害者亲属的心理活动为缘起展开叙述。

在拍摄《下一站，天国》的时候，我脑海中就浮现出了创作下一部作品的想法："下次，我想讲述人类内心的黑暗。"井浦新和伊势谷友介[1]出演了以"谎言"为主题的《下一站，天国》，这次我想拍摄一部以他们俩为主人公的公路片。两个青年都有一段无法向对方言说的伤痛，带着这伤痛开始了旅程。而且我不打算写剧本，用两周左右进行自由拍摄。

然而，在我构思故事脉络的时候，曾是奥姆真理教[2]信徒的上祐史浩[3]从广岛的监狱出狱了。这是一九九九年十二月二十九日的事情。

97

那天，电视台、报社等媒体一早就出动直升机。上祐一释放，他们就前来堵截。他想入住新宿的宾馆，却被拒绝，最后只能栖身于横滨的宗教团体设施。新闻评论员和解说员纷纷宣称"这太危险了"，但由于媒体的堵截，除了宗教设施，他显然已无处容身。

我一直觉得犯罪并不仅仅是关乎犯罪者个人的问题，犯罪对社会来说就像脓疮一般，并非跟我们毫不相干。媒体难道不应该从这样的角度出发来报道吗？

与非虚构作者写犯罪题材一样，如果犯罪者是跟我们毫无关系的恶魔，他们就没有书写的意义。在法律制裁之上再施加社会制裁，本不是电视的作用。报道的目的是从犯罪行为和犯罪者这些社

©2001《距离》制作委员会

《距离》

[**上映时间**] 2001 年 5 月 26 日 [**制作、发行**]《距离》制作委员会 [**影片时长**] 132 分钟 [**概要**] 名为"真理方舟"的神秘组织策划了一起无差别杀人案件，其后五名凶手被教团杀害，教主也自杀身亡。三年后的夏天，在四人的忌辰那天，他们的亲人一起来到了撒过他们骨灰的山间小湖……本片入围第五十四届戛纳电影节主竞赛单元 [**获奖**] 高崎电影节最佳电影奖·最佳女配角奖（夏川结衣）·最佳男配角奖（远藤宪一） [**主演**] 井浦新、伊势谷友介、寺岛进、夏川结衣、浅野忠信、宫田由美子等 [**摄影**] 山崎裕 [**美术设计**] 矶见俊裕 [**录音**] 森英司

会共有的"负面"财产中汲取教训。电视台应当保持这样的立场。

但是，在奥姆真理教策划一系列事件之后，无论是媒体还是市民一致将犯罪者"排除"在外，觉得"排除"犯罪者才是正义的表现。他们仿佛在说："我们是无辜的、善良的，当有外来力量威胁我们的生活时，不让它靠近我们安定的社会就是正义的表现。"

在上祐释放前几天，我在导演手记中写下了这样一段话。

十二月二十四日（星期五）

说起家族故事（虚构），人们往往会联想到其崩坏的主题。如果通过奥姆真理教事件对此重新进行思考的话……不管如何，重要的是描绘生活在现实与虚构、日常与非日常、受害者和加害者的双重性中的人物形象。

这是我在构思最初设定为"两个青年的公路片"的第三部作品《距离》时产生的想法。年底看到上祐被释放的新闻报道，我对"被害和加害二元论"产生了别扭的感觉和抵触心理，这些心绪都浓烈地反映到了这部作品中。

自己身上天真的理想主义

我与上祐史浩以及奥姆真理教的骨干成员差不多是同一代人。

我们进入大学的时候，以七十年代的安保斗争为代表的学生运动等政治浪潮已经过去。日本即将步入泡沫经济时代，整个社会蔓延着"世上到处是金钱"的风气，但另一方面，也有不少人对这股风气感到不适和不安。

这一代人对主导学生运动的团块世代厌倦不已。我也深深地觉得他们的做法根本改变不了世界的现状，最讨厌那些自以为是地叫嚣着"我们差点发动了革命"的成年人。听到"你们御宅族一代根本没有战斗过"的评价，我就生出轻蔑的想法："所以你们现在就成天沉迷于高尔夫？如果青春时代没有将热情投入到社会变革运动中，就要感到挫败的话，那想必得挫败至死吧。"

总之，虽然对现实社会感到不满，却毫无办法，我们这一代始终没有找到新的价值观和消化不安情绪的方法，只能苦闷地度日。至少我自己是这样的状态。

对既定的社会体制毫不质疑，通过面试顺利地进入普通企业、成为工薪阶层——如果大部分人都是这种人生轨迹，那么那些被苦闷情绪影响的人在失去学生运动的依托后，不是只能选择"待在家里"或者"新兴宗教"吗？这几乎是一种时代的必然结果。我无法想象要是当时走错了一步，我会怎么样？老实说，我跟他们抱有同样的不适感。

上大学时，我听其他同学讲到一件事，一个宗教团体在高田马场站邀请路过的学生到他们的工作室，给他们播放电影，据说播放的是《太阳神父月亮修女》[4]。我非常震惊，因为这部电影曾令中学时代的我感动不已。导演是佛朗哥·泽菲雷里[5]，他还执导了由奥丽维娅·赫西主演的《罗密欧与朱丽叶》，在日本的知名度非常高。《太阳神父月亮修女》于一九七二年上映，主人公是中世纪的修士圣方济各。

故事讲述十二世纪，出生于意大利阿西西一个富裕纺织商家庭的圣方济各，在十八岁时参加了阿西西和佩鲁贾之间的战争，但是突然感染了热性病，只能回到故乡。他对父亲靠剥削穷人富甲一方的做法极不认同，所以将财产分给了穷人，从而惹怒父亲，被逐出家门，成了一名修士。他对追求奢华的教会非常不满，认为"教会不需要神职人员"，并创立了意大利最早的托钵修会。

电影名《太阳神父月亮修女》来源于圣方济各的名句"以太阳为兄弟，以月亮为姐妹，与自然共生"。在意大利，圣方济各是像耶稣基督一样受人爱戴的圣人。

电影被宗教团体当作劝诱的工具，我非常气愤，同时也意识到了自己身上存在着天真的理想主义，也有被说服的危险。这部倡导否认私有财产、否定奢华教会的电影，曾让十几岁的我产生了某种异样的感动。

几年后，在一九九一年九月，我偶然看了朝日电视台《黎明新闻现场》栏目的节目《家教和年轻人——奥姆真理教与幸福科学会》。节目嘉宾有若干名奥姆真理教和幸福科学会的信徒，还有经济人类学者、作家、大学教授等，共十七人。景山民夫率领的幸福科学会倡导"只要相信便会幸福"，这种说法很难称为教义，甚至带有肯定现世的色彩。与此相对，麻原彰晃领导的奥姆真理教则一直讲述人类内心的黑暗，给我留下了深刻的印象。麻原身上确实有一种特质，让人相信"也许只有他才是真正的宗教人士"。

但在一九九〇年，奥姆真理教参加众议院选举活动时，我心里确实抱着深深的疑问。有一次，我在中野新桥站前偶然看到他们举行街头演讲，惊讶得难以言表。他们穿的服装、唱的歌曲以及吉祥物的品位都非常低。且不说想法正确与否，他们的歌声无论如何也难以唤起共鸣。这真实地反映出他们是如何在与现代文化隔绝的环境中成长起来的，在某种意义上也可以称为无菌培养。

信徒们不能体验丰富多彩的生活，吃得极其简单，对服装也毫无兴趣，更无心关注音乐、美术、电影、书籍和教养等事物。他们根本没有意识到世界正是由这些细微的东西组成的。所以说，这些信徒其实是一群丢失了"本质"的人。

奥姆真理教选举失败之后，很快转向了末日思想。一九九五年三月二十日，他们制造了地铁沙林毒气事件。这之间的发展过程我无法理解，但是有一点不能忘记："奥姆真理教正是诞生于我们的社会。"

不是每个受害者亲属都要诅咒加害者

电视在报道犯罪案件时，往往套用"令人同情的受害者"与"受人谴责的加害者"两相对立的简单模式。那怎样才能脱离这个模式，让与案件没有直接关系的人将犯罪行为当成自己的事情来思考呢？在《距离》中，我决定把加害者亲属作为电影的主人公。

正如本章开头所写的，加害者亲属具有非黑非白的二重性——兼具加害者和受害者的性质。他们很难唤起普通人情感上的共鸣，所以被电视媒体排除在外。电视为了简单明了地向观众传达信息，几乎像强迫症一般，认定必须使用大胆鲜明的观点，这也是最令我困惑的地方。所以在《距离》中，我想尝试拍摄能引发观众思考的作品。

现在，地铁沙林毒气事件已经过去二十多年，整个社会舆论越发偏向受害者亲属一方，对受害者亲属"我想杀了他们"的言论听之任之，这种被情绪主导的社会风气让我感到很不舒服。

举例来说，始于二〇〇九年的陪审团制度依然存在很多问题。假如无法认识到"自己有一天也可能成为加害者"，便只能从"要是我是受害者，能原谅加害者吗"这种思维出发参与审判。相反，如果有"孕育这个加害者的是我们的社会"的意识，在思考我们与社会的关系时，陪审团制度会成为让我们更加成熟的手段。

确实，社会是为了保护市民才制定了法律，用法律来惩治犯罪者。

但是所谓社会应该为已经改过自新的犯罪者，或者说应该为了让犯罪者改过自新提供相应的社会保障，使他们重新融入其中。法律的惩治与社会的原谅和接纳绝不是矛盾的，而且必须并行。

很遗憾，日本还没有对社会形成成熟、健全的认识。

仅仅依靠法律裁决世间的善恶，与之相矛盾的伦理观就无法孕育出来。我担心在这样偏执的社会中，普通市民参与审判反而会加剧社会的不平衡。

我对一名受害者亲属印象非常深刻，他就是河野义行。

一九九四年六月，东京地铁沙林毒气事件发生约九个月前，奥姆真理教制造了松本沙林毒气事件[6]。河野先生是事件的首位报案人，之后被列为该案的重要证人。而本应查证警方的搜查行为正当与否的媒体却将河野先生当成罪犯，还向外界散播警方内部的信息。在案情水落石出之前，河野先生的住处不断收到来自全国各地的诽谤中伤的信件。

遇到这种事情之后，许多人可能会变得不相信别人，甚至诅咒奥姆真理教，然而河野先生不同。他的妻子是在院子里中毒病倒的，事后他仍然请了一名本是信徒的人来修剪庭院。不仅如此，他们还相约一起去钓鱼、泡温泉。

我记得在某个电视台的节目上，媒体完全无法理解河野先生的行为，问道："您为什么这么轻易地原谅加害者？"河野先生给出的回答是这样的：

"我不是也原谅了你们，所以才出现在这里接受采访吗？"

对河野先生来说，与事件主谋奥姆真理教相比，原谅那些把自己当成凶手的电视台和新闻记者更难。即便如此，只要对方公开道歉，他还是会原谅对方并接受采访。媒体把这件事忘得一干二净，才会提出这样厚颜无耻的问题。

媒体希望从河野先生那儿听到"想杀死奥姆真理教那帮家伙"之类的话，看到河野先生与曾是信徒的人成了朋友，他们在难以置信的同时也感到无法理解。受害者并非一定要诅咒加害者，人类的情感远比我们想象的复杂多样。

从受害者亲属河野先生身上，我重新体会到了这一点。

即兴是写不出来的借口

话题有点严肃了，真抱歉。接下来继续聊聊电影《距离》。

如果说拍摄上一部作品《下一站，天国》时，我是被那些普通人吸引，那我可能会回到纪录片的世界中。但事实并非如此，我开始对演员产生兴趣，其中的契机是在拍摄现场发生的小插曲。

正如前文提到过的，我邀请七十七岁高龄的多多罗君子女士出演电影，作为讲述记忆的人之一。片中有一个场景，多多罗女士一边跳着《红鞋子》，一边哼着歌曲，试图回想起小时候是怎么拿着白手帕的。她将白手帕交给饰演儿时的她的女孩子，然后回到座位上。一旁坐着寺岛进、井浦新、小田绘梨花，他们一边静静地望着女孩表演，一边也哼起了《红鞋子》的旋律。

这不是我的指示，完全是自然发生的。看到此情此景，我内心的感动无以言表。我第一次看到本是为了演绎虚构人物的演员，在被普通人触动后发自内心地微笑、唱歌和行动。

如果用演员自发产生的内在情感拍电影，应该会很有意思。带着这样的想法，我接下来的作品《距离》没有准备剧本，只定下了人物设定，可以说是一次颇具实验性的尝试。

在思考演员的即兴表演时，我的脑海中出现了两位影视界前辈的身影。

一位是执导了电视剧《岸边的相册》《长不齐的苹果们》《高中教师》等的鸭下信一[7]先生。

一九九七年，鸭下先生邀请我观摩由他执导的舞台剧《玻璃动物园》[8]的排练。整整一周我都在现场，深切体会到自己根本无法达到像他这样高超而细致的执导功力。

例如扮演主人公罗拉的弟弟汤姆的香川照之同时还兼任旁白。有一个情节，他要叼着烟说"这是家族的记忆"，接着划亮火柴。表演结束后，鸭下先生对香川说：

"不对。'记忆'这个词是带有内省色彩的，所以划火柴的时候，不是朝着外面，而是要朝向里侧。"香川先生按照鸭下先生说的，朝里划动火柴，效果果然很好，演员的演技也明显地体现了出来。

看到这里，我全身起了一层鸡皮疙瘩。何为面向内部的台词，何为面向外部的台词——记得当时我拼命地做着笔记。

演员在台阶上应该如何停下脚步，停的是左脚还是右脚，是从这一侧向后望，还是从那一侧向后望，所有动作和台词的意思，鸭下先生都会一一说明。当演员遇到不解之处询问他的时候，他也会详尽地回答，我一次都没有听到"你自己去想"之类的话。所有问题的答案都在鸭下先生那儿。我想他大概不信任演员的即兴表演。

鸭下先生是一名拥有深厚素养的导演。他指导演员的时候会将台词比作音乐："像钢琴一般开始，然后转入小提琴。"画布景图也全部亲力亲为。毕业于东京大学文学院美学美术史专业的他曾表示："导演必须自己画布景图。"

另一位是剧作家平田织佐[9]先生。

我与平田先生一起参加过两次对谈，他的观点非常简单。

"即兴是写不出来的借口。"

"演员的自我表现会妨碍创作者。"

"优秀的创作者即使不依靠演员的即兴表演，也能当场写出想要的剧本。如果写不出来，就没有资格成为编剧。"

我充分理解两位前辈的观点，这恰好体现了要不断重复相同表演的戏剧和电影之间的差别。

现场的自由还是作品的自由？

然而在《距离》中，我还是硬着头皮让演员们发挥即兴表演，想将他们仅仅会出现一次的台词、动作和表情收录到摄影机中。

这部电影中的几个镜头实现了我的初衷。

比如夏川结衣小姐。我邀请她来出演的时候，她对我说："我从来没有说过剧本以外的台词。有时会向导演建议怎样的语气更适合自己，但想象不出怎么说剧本上没有的台词。不过我很有兴趣，想尝试一下。"最终，她勉强接受了我的请求。

可是在现场拍摄的时候，她一句话也讲不出来。演员碰头之后，一行人慢慢地散步前往代代木八幡神社。中途，我试着拿起摄影机拍摄，然而伊势谷打开话匣子后，夏川小姐根本不接话。一停止拍摄，她就说："伊势谷，求你了，请别跟我说话了。"正式开拍的时候情况也是如此。由于压力，她还患上了胃溃疡。

然而，拍摄迎来了转机。

有一个场景是井浦新拿着香囊，与夏川小姐说起雏菊的事情。当时夏川小姐轻轻地说了一句："丈夫离家出走的时候，把鞋子忘在家里了。"这是她第一次完全进入角色，很自然地想起与扮演丈夫的远藤宪一之间的事情。结束拍摄后，夏川小姐笑着对我说："我开始明白导演的用意了，但胃还是很疼啊。"

还有宫田由美子与浅野忠信在湖边栈桥上谈话的场景。开拍前，我告诉浅野先生："在交谈的过程中，请对由美子说'我们一起逃跑吧'。"

我没有告诉由美子这件事。美国电影导演约翰·卡索维茨[10]曾在著作中写道："要实现某种即兴，如果是两个演员，那双方获得的信息量应该有差别。"我想尝试一下这个方法。拍摄的时候，

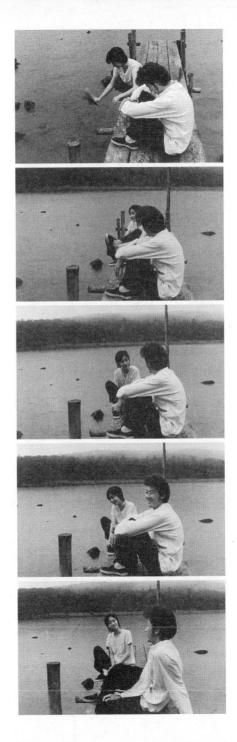

由美子小姐脸上的表情除了惊讶还有迷惑，浅野也是相当兴奋。我还将这种制造不对等信息量的做法用到了第四部电影作品《无人知晓》中。

但是，从电影整体来说，也有依靠演员的即兴表演无法完成的部分。

电影的主题是"父性与父权的缺失"。就在电影开拍前，我的父亲离开了人世，我也陷入了这个主题之中。因此，拍摄的过程与其说是拍摄演员的表演，不如说是在表达我的丧失感，这导致演员们要时时留意我想呈现的效果。结果登场人物很多时候都带着我这个导演的影子，反而造成了演员的"不自由"。这是我在《距离》中应该反省的地方。如果现在拍摄完全靠演员即兴表演的电影，我会选择能让演员更容易与他自己展开对话的主题。

此外我还认识到，与"演员在拍摄现场的自由"相比，"拍摄完的作品看起来自由"是另一回事。要说哪个重要的话，当然是作品的自由更重要。因此，即使拍摄现场不自由，但作品很自由的话也可以。这种价值观的转变是我从《距离》中得到的最大收获。

即使有很多失败和不成熟的地方，我依然非常喜欢这部作品，因为那个时期的所思所想都真实地反映在了影片之中。

要将导演自身的思考过程拍成商业电影，在现在的电影行业恐怕根本无法实现。在即将踏入四十岁的时候能尝试如此奢侈的实验性拍法，让我心怀感激。

忘却

2005

以个人史中的"宪法"为题材

"加害和被害"此后仍是令我感兴趣的主题，而且促成了我两部作品的诞生。一部是在《NONFIX》播放的《宪法》系列节目中的纪录片《忘却》，另一部是电影《花之武者》。

富士电视台总编室一直负责《NONFIX》的节目制作，应总编室制片人的邀请，我参与拍摄了《宪法》系列节目。之前，我和制作公司的其他导演共同拍摄了《在日朝鲜人》系列和《纪录片的定义》系列，都在业界引起了一定的反响，这次他表示也想制作能吸引更多观众的系列节目。

于是我同两位前辈一起讨论了拍摄内容。一位是导演过以奥姆真理教为题材的《A》《A2》[11] 等作品的森达也 [12]，另一位是隶属于 TELECOM STAFF 的长嶋甲兵 [13]。他在一九九七年制作了有谷川俊太郎 [14] 参与的优秀节目《诗的拳击赛》。讨论之后，我记得长嶋先生说："那就拍宪法吧。"

由这两个人拍摄宪法题材，内容肯定非常尖锐，出于危机公关的考虑，我决定邀请富士电视台的报道部参与进来，之后还邀请了 DOCUMENTARY JAPAN 和 SLOWHAND 制作公司。最后决定由森先生拍"宪法第一条·天皇"，长嶋先生拍"第九十六条·宪法修订"，富士电视台拍"第二十一条·表达自由"，DOCUMENTARY JAPAN 拍"第二十四条·男女平等"，SLOWHAND 拍"第二十条·生存权"，而我选择了"第九条·放弃发动战争的权利"。

萩元晴彦曾在一九六七年拍摄《当代主角》[15] 系列纪录片中的《日之丸》[16] 一片，由于节目中"存在偏见"引发了严重的问题。我听说他也想拍宪法第九条，邀请街上的民众朗读这一条的内容，构想相对简单。那换作我，会如何拍摄呢？

老实说，宪法并不是我经常思考的事情。但二〇〇三年十二月，时任首相的小泉纯一郎以宪法序言的部分内容为依据，决定向伊拉克派兵时，我受到了极大冲击。这种无视宪法精神、妄加解释的做法令我怒不可遏："怎么能容许这种行为？"

我在东京练马区长大，那里有自卫队驻扎，对我来说并不遥远。小学旁边就是营地，很多同学都住在自卫队的宿舍中。一到周末，我会与这些孩子一起到营地的道场里学习剑道。训练结束后，我们就潜入设施内废弃的坦克和战斗机玩耍，感觉自己成了《奥特曼》中的警卫。坐在坦克中闻到的气味和从观察窗望见的风景令我兴奋不已，那是我孩提时代最初的体验。

我是一九六二年生人，在战后民主主义气氛浓厚的环境中长大。战争好像再也不会发生，安稳和平的生活对我来说就像空气一般自然。然而，随着年岁增长，我发现冲绳美军基地问题、自卫队问题中存在着各种矛盾。幼时对自卫队怀抱的某种向往，与眼前的现实分明产生了巨大的落差。

我以这种落差为动力，带着摄像机陆续来到冲绳、广岛、中国台湾、韩国、奥斯维辛、美国等地。与其讲述宪法本身，我更想制作一个以宪法为主题的节目，重新探讨在个人史中曾意识到，后来又被忘却的"权利"、"暴力"及"加害性"等问题。

二〇〇四年的终战纪念日，我在靖国神社和千鸟渊开始了拍摄。看到千鸟渊有小泉首相的献花，我非常不快。回想他平日的言行，再看看眼前这在八月十五日献上的鲜花，感受到那露骨的用意，不由得脊背发凉。我不禁产生了疑问："抚慰亡灵的意义究竟是什么？"

不同的纪念碑

如何记忆战争，不同的国家在不同的时代，形式都有所差别。

《忘却》

[播放时间] 2005 年 5 月 4 日／富士电视台《NONFIX》栏目／ 47 分钟　[概要] 现年四十二岁的导演是枝裕和于昭和三十七年出生在东京，幼年时期曾在自卫队学习剑道，深信奥特曼是正义的化身。本片将以导演的个人史为切入点，讲述宪法第九条如何与个人的过去和现在产生联系。[获奖] ATP 奖优秀奖

纪念碑有两种，一种是为纪念战争而建造的，另一种是为悼念死者而建造的。在我看来，供奉军人的靖国神社属于前者，千鸟渊则属于后者。暂且不追究小泉首相想去靖国神社的事情，但是这种人想必不应该来千鸟渊，所以我才那么不快。

　　美国华盛顿的"越战纪念碑"毫无疑问是后者。纪念碑长七十五米，高三米，两面由黑色花岗岩砌成的石墙并排矗立，上面刻着在战争中死去的超过五万八千名士兵的名字。有些战士的亲人会把纸贴在墙上，用铅笔将战士的名字拓印下来。我看到数量这么庞大的名字，深深感到竟然有如此之多的生命消逝，又有如此之多的亲人承受着失去挚爱的痛苦。这处纪念碑在具有公共性的同时，又带着私人的色彩，非常了不起。

　　冲绳的"和平之石"（和平祈念公园）正是参照了越战纪念碑的形式，但是石碑上同时刻着受害者和加害者的名字，这一点比前者更加了不起。石碑上也刻着死去的美国士兵的名字（据说有不少人对此提出抗议），并非单纯地站在受害者或加害者一方，这样的态度非常具有创造性。

　　参加维也纳电影节期间，我去了奥斯维辛集中营。那儿展示着用人体脂肪做成的肥皂、用头发织成的毛衣等东西，当时的德国人根本不把犹太人当成"人"看待。这个地方令人强烈地感受到人类竟然能如此残忍。然而，最令我感到触目惊心的是展品中那数量众多的鞋子，还有手表和眼镜等随身物品。如何开启想象力，鲜明地唤醒对历史的记忆，我想每个人的方式各不相同。从自身来说，我对数量如此众多的物件非常敏感，与直接传达相比，这样的间接描写更吸引我。

另一处纪念馆是位于韩国首尔郊外的"西大门刑务所历史馆"。这是日据时期关押民族独立运动的"政治犯"的监狱遗址。从传达战争的残酷性来说，这处设施的效果不太理想。

地下拷问室设置得像刑侦剧的布景一般，日本警察和爱国烈士分坐在桌子两边，烈士指甲上插着类似锥子的利器，一按开关，就可以听到悲惨的叫声。

然而，这样的景象不够真实。这并不是说人偶制作得太假，或者 CG 的效果会更逼真，问题在于无法刺激观者的想象力，不像看到奥斯维辛集中营里堆积如山的鞋子时，会深入思考"人类究竟是什么"。这也可能因为我是日本人，处在加害者一方，除了觉得"日本人真残酷"之外，没有其他更多的思考。

当然，诉说受害者惨状的目的已经达到了，但如果要探讨如何讲述战争，一味地倾向受害者会阻碍思考，甚至煽动某种排他主义、敌对主义。反过来考虑，这也适用于讲述广岛和长崎的情况。

容易忘却"加害"的国民性

战后德国对待战争的方式非常令人赞赏。他们公开承认自己的加害性，遗憾的是日本没有采取相应的做法。这是因为无论在国家层面还是在国民层面，受害者的意识非常强。

比如，我母亲讲述战争的时候，脑海中的记忆只有东京大空袭。"如果不恣意妄为，只占领中国台湾和韩国就好了，也不会变成现在这样……"母亲说这番话的时候毫无歉疚之意，明显能感觉她内心只有受害者的情绪。

父亲也同样如此。我父亲出生于殖民时期的台湾，说起战争，只会提到在台湾度过的幸福童年，以及在中国内地迎来战败，被流放到西伯利亚强制参加劳动的记忆。我问他中国内地发生了什么（你做了什么），他始终没有对我说过。

国民的个体层面是这样，日本历史自然也采取了这样的态度。是忘却了"加害的记忆"，还是把心一横，认为"大家都这么做"，就将一切一笔勾销了呢？反正全体国民都转向了遗忘的方向。

节目题为"忘却"，指的就是这个。夸张一点来说，宪法第九条不就相当于《圣经》中的"原罪"吗？也就是说，为了约束容易忘却"加害"的国民性，生活在战后的我们应该自觉地意识到身上的罪恶。这一条虽然是在美国的影响下制定的，但对日本来说也发挥了很重要的作用，今后也应该继续保持下去。

在我看来，等到日本社会真正成熟时，日本人才可以用自己的双手重新制定宪法，通过公投确定第九条的内容。理想的话，国民将带着某种意志和反省的意识重新选择第九条。当然那个时候肯定要解决驻日美军问题，同时追究昭和天皇的战争责任，东京审判也要由日本人自己重新举行。日本必须严肃地拷问自己作为加害者的责任。当然，也包括追问美国多次对普通民众实行无差别轰炸的战争责任。

宗教学者山折哲雄[17]在著作中写道："有句话叫'日本人死后会成佛'，日本不惩治死去之人的意识，与中国、韩国有着明显的区别。"的确，在日本的精神中，鞭尸之举是有违伦理的。"死去的人不管曾经犯了什么错，都将成佛"，这种思维使得甲级战犯也被当成"英灵"，与其他战死者混为一谈。

但是，日本政府无论如何辩解"参拜靖国神社是悼念在战争中死去的人们"，也很难取得国际社会的认同。靖国神社中说不定还祭祀着战死的中国人和韩国人，至少应该让他们拥有以当事者的身份陈述意见的权利。

日本政府和部分民众常常将"干涉内政"和"不想被外国人指责"等说辞挂在嘴上，但在我看来，先不说现在，靖国神社问题既然是从战前遗留下来的历史问题，就有必要视作一个国际问题，由中国和韩国共同参与解决。

防止陷入正反意见之争

我不是民间（主要是网络上）所说的左翼人士，也并非单纯地认为只要将宪法当作宗教经典，呼吁维护宪法就能维护和平。那些认定"因为有宪法第九条，日本才成为一个没有战争的和平国家"的人，在另一方面却依赖《日美安保条约》，将过于沉重的负担推给冲绳，在我看来这就是欺瞒。因此我不想以无论何时何地都维护宪法，绝不容许有改变的视角来制作节目。

观看讨论宪法的节目，NHK的节目最为典型，栏目组往往邀请改宪派和护宪派两方同时参与，统一双方的人数与发言时间，这样一来，几乎所有人都落入了僵持不下的正反之争。这是节目制作方思考停滞的表现，他们并非深信正反意见之争可以凸显公平，只是作为明哲保身的手段而已。

正反辩论无非是为了加深观众的思考。它是提出各种选项，促进观众思考的手段，而不是目的。如果将它当作目的，制作方不再进一步探究，观众就什么都不去思考了。

那么在制作以宪法为主题的节目时，该如何防止陷入正反意见之争呢？我的答案是"个人史"。

《NONFIX》的制片人提出制作系列节目的时候，从提交第一稿企划书开始，我就表达了"想通过讲述个人史来展开，而非以正反之争来推动"的意思。

之后节目几经波折，森达也先生离开了企划小组，我也曾被要求以正反争论的形式制作节目。制片人夹在电视台高层领导和顽固的其他导演之间左右为难，为节目的完成付出了巨大的努力。当时富士电视台非常有气魄，丝毫不改要播放关于宪法的系列节目的初衷。放到现在，不管是哪家电视台，应该都不会让这样的企划通过。

观众在观看节目的时候，会将杀意、战争等处于个人思考之外的东西，当作自己的事情进行想象和思考。节目应该是这样的，现在的电视俨然缺乏相应的表现力。我认为，让人们有邂逅这些命题的机会，不仅能让共同体更多元，也能让个人更具包容力。这是具备公共属性的电视应当承担的职责。

——摘自《论座》二〇〇五年四月号

十年已经过去，这个想法仍然没有改变。

在电影院播放纪录片当然是有意义的，但是播放与宪法相关的作品，前来观看的肯定是在认真思考宪法、关注宪法的少数人。所以即使是放在深夜剧场，在富士电视台播放这种节目也是很有意义的。

观众中一般不会有"我讨厌富士电视台，要看就看朝日电视台"的人。只要节目有意思，人们就会收看。这种"不经意的邂逅"是电视的长处，正因如此，我常常考虑如何通过电视节目促使观众深入思考。

花之武者

2006

拍摄没有英雄登场的时代剧

电影《花之武者》讲述了一个不复仇的武士的故事。

以二〇〇三年上映的美国电影《最后的武士》[18] 为契机，日本讲述勇猛武士故事的古装电影如雨后春笋般涌现，那时我就想拍摄一部没有英雄人物登场的古装电影。主人公十分贫穷，剑术低下，遇事逃得比谁都快，是个完全不像武士的武士，他一面爱慕着美丽的寡妇，一面痛苦地在忠义的夹缝中挣扎。此外，我还想吸收落语、"四十七武士的复仇"等内容，拍摄一部单纯的娱乐性古装电影。

但如果深挖拍摄契机的话，要追溯到二〇〇一年九月十一日，美国发生的9·11恐怖袭击事件[19]。

"善恶二元论"是非常容易理解的概念，在9·11事件之后，善恶二元论大行其道。这么说或许有点夸张，但是当时百分之八十的美国人都支持政府出兵攻打伊拉克，在我看来这是极其不正常的。

日本的小泉首相在没有查证的情况下，无条件地支持美国政府。最糟糕的是即使到了现在，也没有对当时的做法是否正当进行调查。当时的英国首相布莱尔和美国总统布什都在事后遭到调查，多少受到了政治上的制裁。小泉首相却没有受到任何制裁，而且在提名下一任首相人选的时候，他的名字又一次出现在名单上。他是造成日本社会阶层分化的元凶，日本人却仅凭简单的印象行事，其中虽然有媒体的责任，但也相当不正常。

不进行查证，就意味着没有历史。人如果只依据一瞬间的感情行事，是非常危险的。看到9·11事件后的日本社会，我切身体会到人类竟会如此轻易地加入战争，而且比想象中更容易忘却发动战争应当承担的责任。

当时，我正在报纸上连载专栏，写了一句"自卫队向伊拉克派兵"，就有人让我改成"派遣"。

媒体也会对这类情形委婉地进行包装。但是，我认为是否向海外派兵这样重大的事件，必须由全体公民投票才能决定。然而事实并非如此，严重歪曲宪法向海外派兵的行为，仅仅因为首相的人气就得到认可。在我看来，这与第二次世界大战爆发前夕的情况毫无差别，不禁让人感到脊背发凉。我深感日本离民主国家已越来越远。

而十年之后的今天，日本的状况进一步恶化。

前几天，一位来日本参加电影试镜的马来西亚男子说道："马来西亚不存在民族对立。"在马来西亚，本土人口占三成，华裔占六成，无论是哪一方，从幼年时期开始就接受这样的教育："虽然民族不同，但大家都是同一个国家的人。"另外还有法律规定，不同的民族不能分开生活。

而且，马来西亚华裔和马来西亚本地人都来参加了电影的试镜，他们笑着说：

"亚洲只有按照我们马来西亚的做法才能发展。日本人、中国人和韩国人都是亚洲人，为什么净说些糊涂话呢。"

为何日本就没有人有这样的想法呢？想来大概是岛国的缘故。

讲述逃跑者故事的落语

二〇〇二年，我分别担任了由伊势谷友介导演的《醒来的人》[20]和西川美和[21]导演的《蛇草莓》[22]的制片人。当时，这两个新人导演的企划加上我自己导演的一部作品，合起来被称为"是枝

《花之武者》

[上映时间] 2006 年 6 月 3 日 [发行]《花之武者》制作委员会(TV MAN UNION、ENGINE FLIM、BANDAI VISUAL、松竹) [影片时长] 127 分钟 [概要] 元禄十五年，年轻武士青木宗左卫门为了替父报仇来到江户，并在充满人情味的长屋内生活了半年，在这期间体验到了"不用背负复仇的人生"…… [获奖] 高崎电影节最佳电影奖·最佳男配角奖（加濑亮）·特别奖（全体演员）等 [主演] 冈田准一、宫泽理惠、古田新太、香川照之、田畑智子、上岛龙兵、木村祐一、加濑亮等 [摄影] 山崎裕 [灯光] 石田健治 [美术设计] 矶见俊裕、马场正男 [服装设计] 黑泽和子 [配乐] Tablatura 乐团 [制片人] 佐藤志保、榎望 [出品人] 安田匡裕

企划"。思路说到底就是三部电影打包，寻求相关方面的投资。我想借这项企划将所有的想法都写出来，最后写了七八个故事，其中一部就是《花之武者》。

但是，制片人安田匡裕[23]建议我："《花之武者》需要大量资金，是不是再往后放一放？"在《花之武者》搁置期间，我开始着手《无人知晓》的拍摄工作。《无人知晓》原是SUNSET CINEMA WORKS公司的制片人仙头武则负责的"J-WORKS"企划中的一部，由于公司面临破产，该企划搁浅，便作为"是枝企划"的第三部作品进行拍摄。

《花之武者》中的确有9·11恐怖袭击事件的影子，然而早在9·11发生前，我就打算拍一部没有武打场面的古装电影。我非常喜欢山中贞雄[24]导演的喜剧片《丹下左膳余话：百万两之壶》[25]和《人情纸风船》[26]，两部片子讲述的都是发生在贫穷长屋里的故事。受其影响，我也想拍摄不讲述武士精神，而是看起来没有英雄气息的古装电影。

按照二〇〇一年的构想，符合人物形象的有出演过《幕末太阳传》[27]的弗兰克堺[28]，或出演过《沓挂时次郎：游侠一匹》[29]的渥美清[30]。然而这两位演员都已仙逝，所以我只能改变思路，将主人公设定为青年，他面临着如何继承从父辈传递下来的精神，颇有点青春电影的味道。

日本人非常喜欢看复仇题材的故事。说得更准确一点，复仇是全世界电影反复讲述的永恒主题之一。好莱坞电影中就有很多

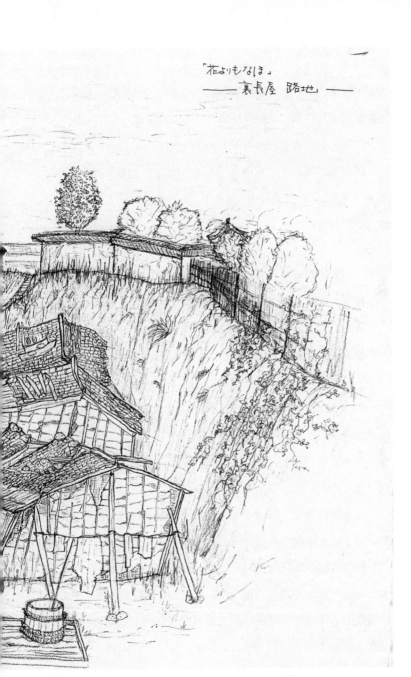

「花よりもなほ」
—— 裏長屋 路地 ——

《花之武者》美术设计

类似的故事。因为妻子和孩子被杀，男人单枪匹马挑战一大群恶人，情节颇有梦幻色彩。复仇也是韩国电影中最频繁出现的故事。

正因如此，我才想拍摄不太一样的影片。

这期间，我参考的书中有一本立川谈志[31]的著作《你也可以成为落语家》[32]。他在题为《何谓落语》的序言"'正义'不是口号"这一节中写道：

> 电影和电视剧反复拍摄忠臣藏四十七武士的故事，但实际上一共有大约三百名赤穗浪人，由此看来，没有参与报仇的有二百五十人左右。他们以各种理由逃脱复仇行动。落语就不会讲述参与复仇的四十七人的故事。

"人是擅长逃跑的动物，而且逃跑者从数量上看更多……"他明确地写道"落语主要讲述的是逃跑者的故事"。"厌恶复仇"的人才是拥有智慧与胸怀的人。正因为看了这本书，我才坚定了拍摄《花之武者》的信心。

井上厦的历史小说《不忠臣藏》[33]，描写的就是逃跑者的故事。山本周五郎的小说《行凶者》[34]中的主角则是一个没有勇气为父报仇的胆小鬼，在一九七二年、一九七六年两次被搬上大银幕，前者由萩本钦一和坂上二郎主演，后者由松田优作主演。长谷川伸编剧的《日本复仇异相》[35]也没有将复仇的人塑造成英雄，这点我非常喜欢。

出于兴趣，我做了各种各样的调查，逐渐发现了复仇故事中一些可以称为"套路"的惯例。

武士决定复仇之后，藩主会赠给他赏金。这种生活资助会一直给到完成复仇（至少在所属的藩还富裕期间），这样一来，不去复仇反而能活得更久。武士宣称出发去复仇，却领着赏金结婚成家，后来一直找不到仇家，又想念家乡，于是带着横死在路边的无名尸体回去交差："我已经报仇了。"类似这样的故事非常多，但这不正体现了人类的智慧吗？诚然，气势汹汹地站起来，高声呐喊着"复仇"可以体现男性的自尊，但从古至今，很多人都不是这么做的。

志朝还是谈志？

山藤章二 [36] 对古今亭志朝 [37] 和立川谈志的落语作了比较，然后写了以下的观点：

> 志朝是将看客从"现代"带到"过去"，谈志则奋力将"过去"引渡到名为"现代"的岸边。
>
> ——摘自《江户式搞笑》 高田文夫编

山藤先生将志朝定义为"虚构"，将谈志定义为"非虚构"，其见解非常独到，而且明白易懂。

我一直认为，虚构作品要令观众"沉醉"，而纪录片则要让观众"清醒"。虚构作品的作用是通过感情的转移，使观众在情感上与主人公达到一致，在短短两小时内为他们提供远离现实、类似做梦般的人生体验。而纪录片中的人物是作为他者登场的，作品与其说是为了凸显他们的故事，不如说是为了批判作为观众的我们（因此，我不喜欢那些只是让观众沉醉其中痛哭流涕的纪录片）。

毫无疑问，志朝先生的落语绝非单纯的古典作品，其中的节奏、力度以及表现方式都很有现代感，令观者心醉神往。

而谈志先生无心让观众沉浸在故事中，说得更准确些，他无时无刻不在积极地打破这种感觉，把落语直接变成了一种落语论。是落语中描述和再现的世界占的比重高，还是讲述者的存在感、立场和评论占的比重高，这种差别即体现出了两位落语家的不同之处。

一直以来，我拍摄的电影都是虚构的，但是说实话，与其令观众沉醉，我更想达到令他们清醒的效果。在《花之武者》中，我试图向引人沉醉——也就是志朝的虚构性发起挑战。

结果，计划只成功了一半。无论是演员还是摄制组人员都非常优秀，是我自己无法完全进入那个时代。

原因大概是生活在现代的我，自始至终都将复仇当成现代式的题材在拍摄。

观众看电影时，并不会因为"啊，这是9·11"才进入故事，必须是在毫无意识的状态下融入情节的。我在升华主题的方式上显得过于天真，所以出来的效果不好，事后隐隐感到后悔。本来以令人沉醉为目的，但我身上却残留着引人"清醒"的习惯……不过，也有人对我说，在我的作品中最喜欢《花之武者》这一部，所以上面无非是我个人的主观评价。

事实上，最初的剧本是从三年前主人公父亲被杀的时候开始的。主人公抱着复仇的决心踏上了旅程，然而过了三年，为父报仇的心情逐渐变得稀薄。由于预算不足，类似公路电影的情节无法拍摄，最后只能拍发生在长屋里的故事。一开场不是父亲被杀的情节，也没有主人公因之燃起复仇火焰的场景，所以最初的设想变得模糊不清。影片从一开始就展现了一位无心复仇的青年的形象，相较于志朝，其实更接近谈志的作品。现在我开始这样反省。

发现没有意义却丰富的生

像这样将《距离》《忘却》《花之武者》三部作品放在一起回顾，会觉得自己未免想得太多。这三部作品分别以奥姆真理教主导的一连串事件、第二次世界大战、9·11恐怖袭击为背景，由于都是实际发生过的重大事件，难免将严肃的思考反映在了其中。

同时，我发现这三部作品都是关于"父权缺失"的故事。

我们这一代人成长于父权缺失的环境，某种程度上是被麻原彰晃身上的父性所吸引,《距离》便象征了这种状况。拍摄《忘却》时,我去了去世的父亲的故乡台湾。而《花之武者》则讲述了为父报仇的故事……我不免怀疑自己有"恋父情结"。

另一方面,可以说通过这三部作品,我摸索出了如何讲述与"有意义的死"相对的东西。

二〇〇一年,我与精神科医生野田正彰就奥姆真理教进行了对谈。当时野田医生这样对我说:

是枝:我不太会以是否有意义来理解生。为什么呢?如果"生"被赋予了有意义的概念,那相对的,就衍生出了有意义的死和无意义的死,这是很危险的……

野田:这在日本文化中是司空见惯的想法。战前的武士道等都将死的意义看得很重要,说什么死亡就是完成生的过程。这在我看来是非常病态的文化。(中略)在追问意义之前,首先必须有快乐地活过的实感。必须与家人、朋友以及周围的自然产生各种联系,有强烈地想活下去的欲望。要以这些为前提谈论生的意义。如果从出生开始,你就为了某些事——为了取得优秀的成绩、为了出人头地——而活,到了青春期开始思考生的意义时,很容易就会与有意义的死扯上关系。

——摘自《中央公论》二〇〇一年十一月号

我在《花之武者》剧本的第一稿中写下了一行解说,不妨作为理解这部电影的视角：

"比起有意义的死，不如去发现无意义却丰富的生。"

作为想法，这是正确的。但是从拍摄的电影来看，与带着这种意识拍摄而成的《花之武者》相比，将生的实感通过细节表现出来的下一部电影《步履不停》，更明显地体现了这种价值观。

电影并非高喊口号的东西，它就是为了表达生命真实丰富的感受而存在的。现在我正以这一点为目标而努力。

注释

[1] —— 伊势谷友介

演员、电影导演、企业家。1976 年生于日本东京。获东京艺术大学美术系硕士学位。曾参演是枝裕和导演的《下一站,天国》和《距离》,在多部电影中都有精彩的表现。《醒来的人》是其导演处女作。

[2] —— 奥姆真理教

麻原彰晃于 1989 年创立的一个佛教体系的新兴宗教团体,曾制造松本沙林毒气事件、东京地铁沙林毒气事件等多起反社会性质的恐怖活动。于 2000 年解散。

[3] —— 上祐史浩

"光之轮"的法人代表。1962 年生于日本福冈县。1986 年,在早稻田大学学习期间加入"奥姆神仙会"(其后的奥姆真理教)。第二年从早稻田研究生院理工学研究科毕业,进入特殊法人宇宙开发事业团(现为独立行政法人宇宙航空研究开发机构)。离职后正式出家,在教团担任对外报道部长等职,是团体的主要发言人。1995 年以伪造文书的嫌疑被捕,被判入狱 3 年。1999 年 12 月出狱后回到教团,创立"阿莱夫"教派。2007 年创立宗教团体"光之轮"。

[4] ——《太阳神父月亮修女》

佛朗哥·泽菲雷里于 1972 年执导的意大利和英国的合拍片,1973 年在日本上映。

[5] —— 佛朗哥·泽菲雷里

电影导演、编剧。1923 年生于意大利托斯卡纳州。早年曾担任卢契诺·维斯康提的助理导演。1968 年根据莎士比亚名著拍摄《罗密欧与朱丽叶》,获得巨大成功。代表作有《天涯赤子心》《无尽的爱》《哈姆雷特》《修女情深》《简·爱》《与墨索里尼喝茶》等,近年开始涉足歌剧创作。

[6] —— 松本沙林毒气事件

1994 年 6 月 27 日发生于长野县松本市的恐怖袭击事件。奥姆真理教的教徒散布沙林毒气,导致 8 人死亡,660 人受伤。第一报案人河野义作为案件的重要证人接受警方调查期间,媒体大肆宣扬河野为犯罪嫌疑人,险些造成冤案。

[7] —— 鸭下信一

电视导演、制片人。1935 年生于日本东京。从东京大学文学系毕业后,进入东京广播电视台(现 TBS),执导《岸边的相册》《长不齐的苹果们》。代表作有《女人之家》《回忆》《妻子们的鹿鸣馆》《高中教师》《说老婆坏话》《理想上司》等。同时也是一名舞台剧导演，作品有白石加代子主演的《百物语》系列等。

[8] ——《玻璃动物园》
美国剧作家田纳西·威廉斯创作的戏剧作品。1944 年开始执笔，同年在芝加哥首演，第二年开始在纽约百老汇长期公演，曾两度被改编成电影。剧本在 1957 年由新潮社翻译出版。1997 年，鸭下信一将其改编成舞台剧，由南果步、香川照之、绿魔子、村田雄浩主演，在日本进行全国巡演。

[9] —— 平田织佐
剧作家、导演。1962 年生于日本东京。在国际基督教大学就学期间开始写作，其后创立剧团"青年团"。1994 年，其代表作《东京札记》首演，获岸田国士戏曲奖。代表作有《月之岬》《过了那条河就是五月》《首尔市民》三部曲等。

[10] —— 约翰·卡索维茨
电影导演、演员。1929 年生于美国纽约。1954 年以演员身份出道，与朋友成立工作室。1959 年执导第一部影片《影子》。1968 年，独立电影《面孔》赢得海内外一片赞誉，树立起独立电影这一电影类型。代表作有《夫君》《受影响的女人》《葛洛丽娅》《爱的激流》等。1989 年去世。

[11] ——《A》《A2》
森达也执导的关于奥姆真理教的纪录片，分别于 1998 年、2001 年拍摄。

[12] —— 森达也
纪录片导演。1956 年生于日本广岛县。从立教大学毕业后，从事过各种工作，1986 年进入制作公司。1992 年，以《微型摔跤传说——小小的巨人们》出道。代表作有纪录片《职业栏是超能力者》《唱禁歌的是谁？》《A》《A2》等。最新作品《FAKE》于 2016 年上映。

[13] —— 长嶋甲兵
电视导演，生于日本广岛县。1984 年加入制作公司 TELECOM STAFF。拍摄的纪录片主题多与艺术、文学、政治、音乐等相关。代表作有《诗的交锋》《印刻世纪的歌——花儿去了哪里，静静祈祷的反战歌》《报道特辑：21 世纪的讯息 井上阳水在唱什么？》《坂本龙一·森林交响曲》《漱石〈心〉100 周年的秘密》等。

[14] —— 谷川俊太郎
诗人、绘本作家、编剧。1931年生于日本东京。1948年开始发表诗歌。1952年出版第一本诗集《二十亿光年的孤独》。代表作有诗集《六十二首十四行诗》《半夜在厨房，我想对你说》《童谣》《凝望天空的蓝》《早晨的形状》《喜欢》《美妙的独处》，并有译作《长腿叔叔》《小黑鱼》《鹅妈妈的真相》等。

[15] ——《当代主角》
1966年至1967年在TBS播放的一档纪录片栏目。

[16] ——《日之丸》
1967年2月9日在《当代主角》栏目播放的节目。节目从多个角度讲述在"建国纪念日"之前，不同世代的人对"太阳旗"的看法和印象。寺山修司负责节目大纲。

[17] —— 山折哲雄
宗教学者、评论家。1931年生于美国旧金山。1937年回到日本。在东北大学修满学分后退学，之后进入春秋社。著有《道元》《神秘体验》《悲伤的精神史》《漂泊的日本宗教》《往生的奥秘》《危机与日本人》《天皇与日本人》等。

[18] ——《最后的武士》
由爱德华·兹威克执导的美国电影，于2003年上映。

[19] —— 9·11恐怖袭击事件
2001年9月11日，美国同时发生多起以飞机制造的恐怖袭击事件。

[20] ——《醒来的人》
伊势谷友介执导的电影，于2002年上映。他同时还担任影片的编剧和主演。

[21] —— 西川美和
电影导演。1974年生于日本广岛县。从早稻田大学第一文学系毕业后，参与是枝裕和执导的《下一站，天国》的拍摄工作。2002年，自编自导处女作《蛇草莓》。代表作有《摇摆》《亲爱的医生》《卖梦的两人》《永远的托词》等。

[22] ——《蛇草莓》
西川美和自编自导的电影，于2003年上映，由宫迫博之主演。

[23] —— 安田匡裕
电影和广告制片人、导演。1943年生于日本兵库县。从明治大学毕业后，进入电通映画，导演众多电视广

告。1987年成立制作公司ENGINE
FILM。在制作广告的同时，担任相
米慎二导演的《欢迎来到东京上空》
的制片人。1999年，担任是枝裕和
《下一站，天国》制片人，此后一直
担任是枝裕和作品的出品人及制片
人，直至《空气人偶》。2009年去世。

[24] —— 山中贞雄
电影导演、编剧。1909年生于日本
京都。1929年凭借《鬼神的血烟》作
为编剧出道。1932年，执导处女作
《矶之源太：抱寝长胁差》。代表作有
《盘岳的一生》《街上刺青者》《丹下
左膳余话：百万两之壶》《人情纸风
船》等。1938年病逝，享年28岁。

[25] ——《丹下左膳余话：百万两
之壶》
1935年由山中贞雄执导的古装电影。

[26] ——《人情纸风船》
1937年由山中贞雄执导的古装电影。

[27] ——《幕末太阳传》
1957年由川岛雄三执导的黑色喜剧
电影。

[28] —— 弗兰克堺
喜剧演员。1929年生于日本鹿儿岛。

在庆应大学法学系就读期间，开始到
驻军军营演奏爵士乐。1954年，成立
"弗兰克堺和City Slickers"乐队。其
后开始参演电影。代表作有《丹下左
膳》系列、《幕末太阳传》、《我想当
贝壳》、《魔斯拉》、《写乐》、《宫本武
藏》、《社长》系列等。1996年去世。

[29] ——《沓挂时次郎：游侠一匹》
1966年由加藤泰导演的古装电影。

[30] —— 渥美清
喜剧演员。1928年生于日本东京。
从中央大学经济学系毕业后，进入
某巡演剧团，开始踏上喜剧演员的
道路。1956年首次出演电视剧。1958
年首次出演电影《虎先生大昌隆》。
代表作有《砂器》《幸福的黄手帕》
《八墓村》等。从1969年至1995年，
出演长寿系列电影《寅次郎的故事》，
该系列共48部，塑造了"阿寅"这
位家喻户晓的人物。1996年去世。

[31] —— 立川谈志
落语家。1936年生于日本东京，肄
业于东京高中。16岁时拜第五代柳
家小为师。1963年承师名立川谈志，
并晋升为压轴演员。精通古典落语
段子，意识到现代与古典之间的背离，
不断挑战落语创作。2011年去世。

[32] ——《你也可以成为落语家》
立川谈志著,1985 年由三一书房出版。

[33] ——《不忠臣藏》
井上厦著,1985 年由集英社出版,
获吉川英治文学奖。

[34] ——《行凶者》
山本周五郎所著的小说,1967 年由
文艺春秋出版。

[35] ——《日本复仇异相》
长谷川伸著,1963 年由中央公论社
出版,2008 年由国书刊行会再版。

[36] —— 山藤章二
肖像画家、讽刺漫画家。1937 年生
于日本东京。就读于武藏野美术大
学设计系期间,陆续获得各类奖项。
从国立宣传研究所离职后成为自由
职业者。1976 年开始在《周刊朝日》
连载专栏《山藤章二的黑色角度》。
幼年时经常出入曲艺场,精通落语,
因此经常参与滑稽类对谈集的出版
及担任曲艺表演的策划人。代表作
有《世相显影》等。

[37] —— 古今亭志朝
落语家。1938 年生于日本东京。第
五代古今亭志生的次子。从独协高中
毕业后承继父业,五年内迅速成长为
落语的压轴演员。东京“落语四天
王”之一,在观众中拥有极高人气。
2001 年去世。

第五章

失去亲人，生活何以为继

2004 — 2009

《无人知晓》2004

《步履不停》2008

《祝你平安——Cocco 的无尽之旅》2008

《空气人偶》2009

失去亲人，

伤痛能否掩埋？

无人知晓

2004

不想改变被评价为"阴暗"的结局

《无人知晓》是我的第四部作品，电影剧本以一九八八年在东京丰岛区发生的"西巢鸭弃婴事件"[1]为原型写就。

简单叙述一下西巢鸭弃婴事件的经过。孩子的父亲在长子快到入学年龄时失去踪影，在商场工作的母亲此后认识了不同的男子，并在家里相继生下了长女、次子、次女、三女儿。次子出生没多久就夭折了。所有的孩子在出生后都没有去相关部门办理出生登记（就是说，他们在法律上并不存在），所以也无法上学。

长子十四岁的时候，母亲为了与新结交的恋人一起生活，将四个孩子留在了家里。这是发生在一九八七年秋天的事情。孩子们靠母亲偶尔装在信封内寄来的钱维持生活。翌年四月，当时只有两岁的三女儿被前来玩耍的长子的朋友殴打致死。长子把三女儿的尸体埋在了秩父的一片杂木林中。之后房东发现了孩子们独自生活，随即向警察局报案，公众才知道了这件事。

139

我最初听闻这件事，是在担任《地球 ZIG ZAG》节目的助理导演期间，去长野县伊那小学春班拍摄孩子们上课的时候。与其说周围的人没有发现孩子们独自住在公寓里，不如说是人际关系稀薄得让他们不愿去发现，但想想这件事发生在"东京"，也就不奇怪了。

　　这一事件作为现代都市中家庭关系疏离的象征，接连几天都被媒体当成耸人听闻的新闻报道，批判的焦点主要集中在弃子女于不顾的母亲身上。周刊杂志甚至用了"魔鬼般淫乱的母亲"、"身处地狱的孩子们"、"毫无责任的性爱"等过激的标题吸引读者。看到这一系列报道，我产生了一个疑问：为什么少年没有舍弃妹妹们离开家呢？

　　有一天，我看到一则新闻中写道，被儿童咨询中心收养的妹妹说"哥哥很温柔"，心中萌生的疑问就此展开了想象的翅膀。

　　毫无疑问，造成这起不幸事件的原因是母亲不负责任。但是即使过程艰难曲折，她也独自一人生下孩子，并将他们养大，这是不容置喙的事实。如果母亲歇斯底里地打骂孩子，那长子大概也会以同样的方式对待妹妹们。所以我猜想，即使相处的时间很短暂，他们母子间也拥有无法从报道中窥知的亲密关系。

　　在被遗弃的六个月内，孩子们看到的并非都是灰色的地狱般的景象。他们的生活中，有与物质上的富足不同的"丰富性"。兄妹间共同分享喜悦和悲伤，也拥有只属于他们的成长和希望。如果是这样，我们要做的并不是站在公寓之外讲述"地狱"的残酷，而是去想象在被切断电源的房子内，孩子们是如何体会着这份丰富性，之后又是如何失去它的。

当时，伊那小学春班的班主任百濑老师对我说："请你在东京寻找你应该面对的孩子。"这四个孩子或许正是我应该在东京面对的对象。我在东京出生，也在这里成长，或许可以透过孩子们的眼睛，描绘出属于我的"东京论"。我想从公寓内部描绘孩子们望见的东京的天空——带着这样的想法，我开始写剧本。

事情发生后的第二年（一九八九年），我完成了电影的企划书以及剧本的第一稿，准备着手拍摄。通过熟人牵线，我见到了Director's Company [2] 电影制作公司的制片人宫坂进先生，听取了

©2004《无人知晓》制作委员会

《无人知晓》

[**上映时间**]2004 年 8 月 7 日　[**发行**]Cine Qua Non　[**制作**]《无人知晓》制作委员会(TV MAN UNION、ENGINE FILM、BANDAI VISUAL、Cine Qua Non）[**影片时长**] 141 分钟　[**概要**]在东京一处普通的二居室公寓内，四个孩子与母亲幸福地生活着，但是四个孩子的父亲都不一样，他们也没有上学。除了长子之外，连房东都不知道另外三个孩子的存在。有一天，母亲留下为数不多的现金和简短的留言，离开了这个家……　[**获奖**]戛纳电影节最佳男主角奖（柳乐优弥）、法兰德斯国际电影节大奖、芝加哥国际电影节金雨果奖等　[**主演**]柳乐优弥、北浦爱、木村飞影、清水萌萌子、江原由希子等　[**摄影**]山崎裕　[**美术设计**]矶见俊裕、三松圭子　[**录音**]弦卷裕　[**配乐**]GONTITI

不少他对剧本的感受。

Director's Company 是在一九八二年由相米慎二 [3]、长谷川和彦 [4] 等九位导演创立的，不依附大型电影制作公司，志在制作符合自己期望的电影。遗憾的是因为诸多因素，这家公司于一九九二年宣布破产。但对当时的青年电影导演来说，Director's Company 承载了我们的憧憬和向往。

拿给宫坂先生看的剧本，标题是《美好的星期天》。

电影中便利店的场景，实际上发生在巢鸭站一旁的粗点心店。那里是小学生们经常出入的地方。正是在点心店里，长子遇到了后来导致三女儿死亡的朋友。

这家点心店有些与众不同，来买点心的孩子都可以用画纸和蜡笔画画。店里挂着好几幅画，其中有一幅是长子画的，画上写着私立小学"立教小学"的校名。他兴许是为了遵守与母亲之间的约定——"当别人问起的时候，就这样回答"。

我知道这幅画之后，打算以长子带着谎言的绘画日记展开故事。虽然身处的现实非常残酷，但是点心店内的画却画出了他的喜悦——"一家人一起去了某地"。在电影转场时，我多次插入孩子们朗读绘画日记的声音。在影片的结尾，我打算将画有埋葬妹妹的秩父山的画，与少年朗读"真是个非常美好的星期天"的声音重叠在一起。

我与宫坂先生约在赤坂见面，一起吃了饭。他竟然非常认真地看完了我这位素不相识、初出茅庐的年轻导演的剧本，还提出了许多建议。我记得，宫坂先生当时觉得电影的结尾太阴暗："现实虽然是这样，但是电影的结尾可以改成长子拼命想救妹妹，否则电影就没法拍……"

他给出了许多意见，让我对想拍的电影有了更加清晰的认识，明白自己想拍的不是讲述救赎的电影，也不是随之衍生的精神宣泄。与褒奖相比，以专业人士的眼光给出的批评意见显得更加珍贵。

然而，我也意识到，对我这样毫无拍摄经验、连导演都算不上的人来说，想将如此令人沮丧的故事拍成一部电影，前路会有多少未知的风险。

之后有很长一段时间，我都在寻找拍摄《无人知晓》（的原型）的时机，并想以这部电影作为自己的导演处女作。但是正如第一章中所说的，我被邀请拍摄《幻之光》。那时觉得兴许是个不错的机会，便接了下来，所以《无人知晓》的拍摄也往后推了。

电影不是用来审判人的

在《下一站，天国》之后，我本以为终于能拍摄《无人知晓》了，不幸的是情况并非如此。

我在第四章中曾经提到过，一九九八年，制片人仙头武则离开 WOWOW 电视台，成立了 SUNSET CINEMA，并且提出名为"J-WORKS"的企划，想以"一亿日元一部电影"的投资规模，制作五部能在海外影展上赢得声誉的电影。

他企划的第一部作品是青山真治 [5] 导演的《人造天堂》[6]，接下来是河濑直美的《萤火虫》[7]、诹访敦彦 [8] 的《广岛别恋》[9] 和利重刚 [10] 的《睡莲》[11]。本来预计第五部拍摄由我执导的《无人知晓》。

然而，前四部片子的拍摄就用了五亿日元，加之票房表现欠佳，导致 SUNSET CINEMA 最后面临破产。《无人知晓》的企划再次回到了我手中，之后加上西川美和导演的《蛇草莓》和伊势谷友介导演的《醒来的人》，由我担任制片人的"是枝企划"启动了。

《无人知晓》的企划开始于十五年前，在这段漫长的时间中，变化最大的是我的视角。

一九八九年，我开始写《无人知晓》的剧本。那时我才二十多岁，非常同情长子的遭遇，所以剧本中加了大量独白，与最终成形的电影相比，剧情上显得更戏剧化。之后，影片的名字虽然从《美好的星期天》换成了《长大成人的我……》，但故事仍然以"我"的视角展开叙述。

可是当二〇〇二年秋天《无人知晓》开拍的时候，我已步入四十岁的年纪，跟故事中的母亲年龄相仿，所以不得不站在成人的角度看问题。

另外，拍摄二十年前发生的故事，制作费用会非常高，因此决定改成发生在当下的故事。然而二〇〇五年、二〇〇六年左右，"忽视"（Neglect）一词在社会中变得越来越普遍，早前看来极具冲击性的事件也变得如随处可见般普通。仿佛时代已经追上了事件本身，时间的流逝反而带来了好的结果。

在《无人知晓》中，我不想探讨谁对谁错的问题，也不想追究大人应该如何对待孩子，以及围绕孩子的法律应该如何修改等。所谓的批判、教训和建议都不是我想讲的。我真正想做的是讲述孩子们的日常生活，以及在一旁观察他们，倾听他们的声音。这样一来，孩子们的话语就不再是独白，而是变成了对话。同样的，孩子们也通过双眼观察着我们。

这是我拍摄电视纪录片时发现的与拍摄对象保持距离的方法，可以让拍摄者和被拍摄者共享时间和空间，同时也是拍摄者在伦理上应该秉持的立场。当然，这种态度在导演剧情片时并不新鲜，但我仍然坚持这样来拍摄《无人知晓》，并非从单纯的黑与白的对立出发，而是用灰色的视角记录世界。没有纯粹的英雄或坏人，只是如实地描述我们生活的这个由相对主义价值观构筑的世间。

我在电影中从始至终都采用了这种方式。

在《无人知晓》参加戛纳电影节的时候，我接受了将近八十家媒体的采访，其中印象最深的是有人提到："你没有对电影中的人物进行道德上的审判，甚至没有指责遗弃孩子的母亲。"针对这个疑问，我是这样回答的：

电影不是用来审判人的，导演不是上帝也不是法官。设计一个坏蛋可能会令故事（世界）更易于理解，但是不这样做，反而能让观众将电影中的问题带入日常生活中去思考。

现在，这个观点依然没有改变。我始终希望当观众看完电影回归日常的时候，对生活的看法会有所改变，这或许会成为他们带着批判性的视角观察日常的契机。

引发内在演技的"口述"

《无人知晓》是以四个孩子为主人公的电影。制作始于二〇〇二年春天，除了长子的角色，其他演员的试镜基本在当年七月就结束了。到了八月，饰演长子的演员依然没有找到。电影计划在九月份开拍，如果一直找不到，便只能延期。就在这个时候，我们收到一家事务所的消息，"有个孩子刚刚进公司，还没有试镜"，同时收到了对方寄来的附有照片的履历表。一看到照片，我就被少年锐利的眼神吸引了，立即跟他的事务所取得了联系。这个少年就是柳乐优弥。一见面，我便认定"就是他"，连试镜都没有，直接定下由他饰演长子。

之后，为了让四个孩子熟络起来，我抽时间带他们去参加神社的祭祀活动，还一起去烧烤。去神社时，我分别给了他们一些零用钱。饰演次子的木村飞影在神社门口就把钱用完了，后来没钱再买吃的。观察这些细节非常重要。拍摄时穿的衣服都是我跟孩子们一起在 JUSCO 买的。相处期间，我也渐渐知道了他们各自的喜好、平时的穿着、吃饭的样子等，每一个细节后来都反映在了剧本上。

九月，孩子们与扮演母亲的由希子小姐见了面，而且在位于中野区的取景地——一套两室一厅一厨的公寓内一起吃饭，一起画画。为了让他们习惯拍摄，从那时起，十六毫米的摄影机就一直在房间内运转。

十月，电影终于正式迎来开机的日子。先拍摄两周，然后进行剪辑，之后再开始写发生在冬季的故事。

四个孩子的关系非常好，没有拍摄日程的时候，女孩子们玩在一起，男孩子们也一同玩耍。四个家庭的家长甚至带着他们一起出游。

电影的拍摄从二〇〇二年秋天开始，到第二年夏天结束。除了开拍时的秋天，分别利用寒假、春假和暑假拍摄，每次为期两周。我对《无人知晓》唯一的预想就是拍出四季的推移，现在回想起来，那真是一段无法取代的奢侈时光。

不同的人对"硬汉"（Hardboiled）一词的理解也不一样。我将《无人知晓》理解为硬汉电影，不是依靠台词，而是通过孩子们在公寓中的（奔跑、抬水、踢石头等）动作的累积推进剧情。我无意通过台词间的空白来表现微妙的情感。所以与精湛的演技相比，用微微俯首的神情引发观众的想象反而更好。在这个意义上，初见柳乐优弥时感到的强烈的少年魅力，刚好与硬汉形象相契合。

在拍摄《距离》时，我在几场戏中尝试了口述台词[12]的方法。

与出演《无人知晓》的孩子们在一起

而在《无人知晓》中指导孩子的表演时，我从头到尾都采用了这种形式。说实话，演技精湛并不是多么至关重要的事，尤其是对电影来说。我想找的不是聪明伶俐的孩子，而是让我从心底里觉得"想拍他"的孩子。《无人知晓》中的四个孩子正是基于这样的想法挑选出来的。

在拍摄最后的夏天的戏之前，优弥还出演了电视剧，有了背台词表演的经验。因此在拍摄《无人知晓》的时候，他经常在台词中加入情感，但是人们一般不会这样讲话。为了克服这个问题，我让优弥在毫无准备的情况下表演。当时，我不知道以我的电影作为他的出道之作，对他来说究竟是幸运还是不幸。但看到他现在已经成长为一位优秀的演员，替他感到开心的同时，我也松了口气。

另一方面,饰演长女京子的北浦爱对表演非常热忱,经常问我:"这时候,京子会怎么想呢?"

影片开始,一家人刚刚搬到公寓的时候,我让她一边在被子上滚来滚去,一边对由希子小姐说"这个榻榻米真好闻"。另外,她还有一个闻指甲油气味的场景。北浦爱就敏锐地指出:"京子是个喜欢气味的孩子啊。"她擅长把握与自己个性不同的角色设定,年纪虽小,却已经拥有了女演员的风采。

当大家一起去公园玩耍的时候,她无意间会牵起饰演妹妹的清水萌萌子的手。当妹妹跳到座椅上,她会用手拂去上面的尘土。平时的她并不会有这些行为。她在国际学校上学,跟普通的孩子相比显得更积极。而一旦进入角色,她身上很快会展现出与平日不同的忧郁气质。在自身和角色的切换上,两个女孩子表现得都非常出色。

说说男孩子的情况——优弥和饰演弟弟的木村飞影会将自己的性格带入饰演的角色,在拍摄结束后也一时无法走出来,不能顺利进行角色切换。这大概是性别不同导致的,但我毕竟不是专家,无法贸然下结论。

在兄弟吵架的那场戏,口述台词取得了明显的效果。优弥因为弟弟贪玩,生气地踢翻了他的遥控玩具。事实上在拍摄的时候,我并没有告诉飞影会发生什么,只对他说:"可以玩遥控车。"然后告诉优弥要说的台词,并让他生气地把遥控车踢翻。飞影当时真生气了，向优弥回击："你干吗拿东西撒气！"这句话是平时母亲经常对他说的。

拍摄结束后，我对飞影表达了歉意："对不起，我为了从远处拍这个镜头，故意让优弥发脾气。"但两人还是半天都没有开口讲话。回去时坐在同一辆车上，两个人也背朝对方坐着。饰演京子的小爱拿两个人没办法，说道："你们两个真是傻瓜啊，不就是演戏嘛，演戏。"想想当时的情景，真是令人怀念。

面对小演员，导演究竟能做到什么程度？

在《无人知晓》中，除了口述台词，基本都是基于虚构的情节执导的。拍摄的时候并不会问孩子们"如果是你的话，会怎么想"，也没有偷拍。尤其这是一个关于孩子的死亡的故事，如果为了拍到孩子们流下泪水的场面，就让他们痛苦、悲伤，在我看来是不恰当的。与其这样做，倒不如猛抓一把孩子的手腕，让他们疼得掉下眼泪来更干脆。我不想采取这种方式。

我阅读了伊朗著名导演阿巴斯·基亚罗斯塔米 [13] 的著作《电影在继续》[14]，从书中可以看出他在拍摄《何处是我朋友的家》[15]时，显然是让孩子陷入了某种痛苦的情境进行拍摄的。他先请工作人员藏起孩子的作业本，让他感到不安。而且同班同学因忘带笔记本遭到了老师的呵斥，哭了起来。看到这种情形，主人公陷

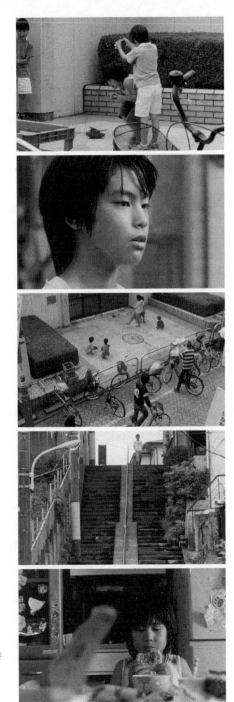

入了更加不安的情绪。导演抓拍下孩子不安的神情，将这一幕用在完全不同的情节中。阿巴斯是会这样做的导演，准确地说是他不排斥这样做。但我还是放弃了这种做法。

那么为什么在优弥踢翻遥控车的一幕中，我欺骗了飞影呢？因为我从肯·洛奇[16]导演那儿学习到，欺骗分为可修复的欺骗和不可修复的欺骗。

肯·洛奇导演的电影《小孩与鹰》[17]，讲述了一个与家庭和学校疏离的少年，通过养老鹰获得成长的故事。

影片中，性格暴躁的哥哥出于忌妒，杀死了弟弟养的鹰，然后将尸体扔进了垃圾箱。少年放学回来后发现鹰不见了，到处寻找，最后在垃圾箱中找到了已经死去的鹰。少年当时脸上的表情极其逼真，完全看不出任何表演的痕迹。

后来，我有机会见到了导演，向他提出了我的疑问。导演听后告诉我，他对少年说"鹰不见了，你找找"，然后少年真的开始找起来。事实上，少年珍视的鹰没有被杀掉，只是将外形相似的鹰的尸体放在了垃圾箱里。少年发现后将它抱在怀中的场景被拍了下来。

我非常震惊，就问道："难道您不担心失去跟孩子之间的信赖关系吗？"导演回答："可能暂时会失去，但是我有信心修复之前构筑起来的信赖关系。"而实际情况是拍完《少年与鹰》后，少年成了肯·洛奇的助理导演。

导演与演员之间的信赖关系究竟可以承受哪种程度的挑战呢？

是要考虑清楚再实行，还是不加考虑就实施？尤其当对象是孩子的时候，不加考虑肯定不行。因此，我不赞成阿巴斯导演的做法，但是认同肯·洛奇导演的做法。不过，当阿巴斯导演再次来到村子里的时候，曾在他电影中出演的孩子们依然非常开心地围到他身边，可见出演电影的经历在他们心中留下了难以磨灭的愉快回忆。所以，虽说是孩子，或许也没必要如此战战兢兢。

《小孩与鹰》中还有一个地方非常出色。少年抱着鹰的时候，并没有把它贴在脸颊上，也没有痛哭流涕，而是把鹰的尸体交给了哥哥。哥哥一脸嫌恶，但是少年依然将鹰硬塞给他。少年的反应非常真实，而不是一味渲染感伤的情绪。我为肯·洛奇导演的执导手法深深折服。

与道格玛不同的、属于自己的真实感

《无人知晓》入围了二〇〇四年五月举办的戛纳电影节的主竞赛单元，主演柳乐优弥获得了最佳男主角奖，成为戛纳影史上最年轻的获奖者，也是首次获得这个奖项的日本演员。这对电影来说，是个幸运的开端。

但是另一方面，国内外的媒体往往评价这部电影"很像纪录片"（记者可能是出于好意才用了这个词）。

确实，我基本没有使用任何照明设备，很多时候是手拿十六毫米的摄像机拍摄的，架起三脚架拍摄的画面也不少。虽然没有给孩子们剧本，但还是得提前写下台词。正如前文所述，从头至尾，我都作为虚构的故事在拍摄，观众却认为像纪录片。

从二十世纪九十年代后期至二〇〇〇年上半年，欧洲掀起了名为"道格玛95"的电影改革运动。这项运动由凭借《黑暗中的舞者》[18] 获得金棕榈奖的丹麦导演拉斯·冯·提尔[19] 主导，向一味增加电影制作费用、广泛运用 CG 等先进技术，从而导致电影质量下滑的好莱坞电影提出质疑。

"道格玛95"要求加入其中的电影人必须遵从以下的"纯洁誓言"。

纯洁誓言

1. 影片必须实地取景。小型道具和布景要使用现场的东西。

2. 不得使用背景音乐等配乐和音响效果。

3. 必须使用手持摄影机拍摄。

4. 影片必须是彩色的，禁止使用一切照明设备。

5. 不得进行光学加工或使用滤镜。

6. 影片中不得出现杀人或爆炸等肤浅行为。

7. 不允许出现时间及空间上的背离（电影必须讲述现在发生的事，一概禁止回忆等镜头）。

8. 不得拍摄类型电影。

9. 必须使用三十五毫米胶片拍摄。

10.导演的名字不得出现在演职人员表中。

那时,我在《下一站,天国》中邀请普通人参与演出,在《距离》中也基本使用手持摄影机拍摄,而且不设定台词,不使用照明设备,因此有评论认为我的电影与"道格玛95"十分接近。

但是一直以来,我对"道格玛95"的评价都不高。某种程度上,"道格玛95"可以称为拍摄电影的"十诫",让人们遵守这些戒条,从而达到贯彻现实主义的目的。我明白这是一种尝试,但无法认同。演员的表演若是像演舞台剧一样,我想不管是否用手持摄影机拍摄,电影都缺乏真实感。如果按照这种方式拍摄,就等同于否定了演员的作用。

曾有几部遵循"道格玛95"誓言拍摄的作品在日本上映。老实说,除了比利时导演达内兄弟[20]拍摄的《罗塞塔》[21]、法国导演布鲁诺·杜蒙[22]拍摄的《人,性本色》[23]等少数几部电影,基本上都很乏味。

所以,我想在《无人知晓》中拍出与"道格玛95"不同的、属于自己的真实感。邀请毫无表演经验的孩子出演也是出于这个考虑。

尤其是二十世纪九十年代,不管好也罢,坏也罢,我虽得以脱离制片厂体系自由地拍摄,却依然保留了大制片厂时代的录音方式和剪辑方式,沿用布景拍片时代的审美为演员化妆。既然是在公寓实地拍摄,就得在方法论上找到与布景时代不同的拍摄方法。带着这样的想法，我在这间公寓内，在四季更迭中，开始了《无人知晓》的拍摄。为了不错过孩子们不经意间流露出来的神情，我在不使用照明设备的情况下，尽量依靠自然光，手持Super16mm摄影机进行拍摄。

步履不停

2OO8

对母亲去世的服丧

《步履不停》讲述了发生在夏日某一天的故事，成年后离家的孩子回到家，同上了年纪的父母度过了一天，是一部家庭剧。这一天中没有发生什么特别的事情。直至电影放映过半，"这家人为什么在这天聚在一起"的谜底才揭晓。之后影片中始终贯穿着家人之间琐碎又时而让人大吃一惊的交谈。

剧本的第一稿是在二〇〇六年秋天完成的，事实上五年前我已经写好了同名剧本的大纲。当时我把故事的背景放在一九六九年，内容中自传色彩更为浓郁。上小学的时候，我们一家住在一栋有点倾斜的老长屋中，家里有一位患有老年痴呆症的爷爷，父亲整日沉迷于赌博，母亲要打工维持一家人的生计。那时正是石田亚由美的《蓝色街灯下的横滨》[24]红遍街头巷尾的时候。平时在家里毫无存在感的父亲，在台风来临之际，用绳索将屋顶固定住不让风吹走，然后在所有的窗户外钉上白铁皮。原先的剧本写的就是这一天发生的故事。

但是，制片人安田先生说："这个故事你到六十岁再拍也无妨，不用急着拍。"所以先开始了《花之武者》的拍摄。

制作《花之武者》期间，母亲生病住进了医院。我只能利用拍摄和剪辑的间隙去医院看她。在二〇〇五年电影即将上映的时候，母亲去世了。这对我来说无疑是个巨大的打击。即使不是自传，如果此刻不讲一讲母亲的故事，我就失去了继续往前走的勇气。

母亲从生病倒下到去世有将近两年的时间。在日常生活中面对一个逐渐走向死亡的亲人，精神上承受的折磨是非常残酷的。母亲刚住院的时候，我正在拍摄与医疗相关的纪录片，所以认识一些医院方面的人，也懂一点医疗常识，相信母亲可以很快恢复往日的健康——只要她换到更好的医院，好好做康复训练，就可以回到家里继续健康地生活下去。然而事实上，我什么都没来得及为她做。

母亲一直为我的前途担心。《下一站，天国》上映后获得了不错的评价，我的名字开始被观众熟知，可她依然为我的生计担忧。《幻之光》和《下一站，天国》她都看过，但她在《无人知晓》杀青前便病倒了，没能看到。我将《无人知晓》参加戛纳电影节的新闻报道贴在了母亲病房的墙上，但她大概不清楚是怎么回事。

我本该再为她做点什么。至少应该让她看完《无人知晓》，这样她或许会走得安心点。如果她再晚半年病倒的话……我内心的悔恨酝酿出了《步履不停》的主题——"人生总是有点来不及"。

我将这句话写在笔记本的第一页，开始创作剧本。

我的母亲绝非温柔善良的人，言语相当刻薄，还会毫无顾忌地取笑别人的窘态，是个独一无二的人。在她看来，担任《彻子的小屋》的嘉宾和《红白歌会》的评委是很有价值的事情。每每有导演参加《彻子的小屋》，她总是会录下来寄给我，并附上一句："你什么时候能上这个节目就好了。"我手边依然留着母亲写着"周防正行导演"这几个字的录像带。柳乐优弥受邀参加《彻子的小屋》时，我也陪同他一起入镜了。节目结束后，我来到病房，俯在母亲的耳边说："我上《彻子的小屋》了。"不知道母亲是不是听到了。

©2008《步履不停》制作委员会

《步履不停》

[上映时间] 2008 年 6 月 28 日　[发行] Cine Qua Non [制作]《步履不停》制作委员会、TV MAN UNION、ENGINE FILM、BANDAI VISUAL [影片时长] 114 分钟　[概要] 夏日的某一天，横山良多带着妻子由加利和儿子小笃回到了老家。这一天也是十五年前逝世的兄长的忌日。然而，对无法说出自己失业一事的良多来说，与双亲的重逢充满了苦涩……　[获奖] 圣塞巴斯蒂安国际电影节最佳剧本奖、马塔布拉塔电影节最佳电影奖等　[主演] 阿部宽、夏川结衣、江原由希子、高桥和也、树木希林、原田芳雄、田中祥平等　[摄影] 山崎裕　[灯光] 尾下荣治　[美术设计] 矶见俊裕、三松圭子　[录音] 弦卷裕　[服装] 黑泽和子　[配乐] GONTITI　[出品] 安田匡裕

遗憾的是直到去世，她都没看到那期节目。

母亲是个有点俗气的人，在某种意义上是"世俗"。我一边回忆着母亲"世俗"的部分，一边写剧本，因此影片中的敏子许多地方都带着我母亲的影子。

比如影片的设定"主人公与带着孩子的女人结婚，在盂兰盆节期间带着妻儿回到老家"，也是来自母亲语不惊人死不休的话。母亲的原话是这样的："×× 家的 ×× 要结婚了，听说对象是个二婚。真是的，什么人不选，偏要选个二手货。"

还有关于牙齿的场景。母亲生病入院之后，还在担心我的牙齿。她自己安的是假牙，所以躺在床上反复叮嘱我"你好好刷牙了吗"、"要每天刷牙啊"。于是我在影片中安排树木希林饰演的母亲对阿部宽饰演的儿子说："啊——让我看看你的牙。"

现在想来，《步履不停》就像我为母亲进行的服丧。思考如何接受母亲去世的事实时，我选择了将它拍成电影。最重要的是不该被失去母亲的悲伤情绪牵着走。拍摄的时候，我一直带着要拍摄一部愉快的、不悲伤的电影的意识，自认应该拍出了一部没有泪水的家庭电影。

故事的两个重要设定

《步履不停》在确定角色之前，故事中有两个重要的设定。

第一个是轻声说出"人生总是有点来不及"这句话来结束电影。第二个是在盂兰盆节的夜晚,母亲和儿子闹了点别扭,在某个时间点忽然响起了《蓝色街灯下的横滨》的歌声。

电影名"步履不停"取自《蓝色街灯下的横滨》的副歌部分。石田亚由美唱这首歌的时候只有二十一岁,当时专辑卖出了一百五十万张,大受欢迎。好像是她出演音乐节目

《步履不停》制作笔记的第一页

《深夜金曲舞台》时,在歌曲间奏中,多次闪过她穿着蓝色衣服滑冰的画面。我出生于东京练马区,虽说是东京,练马只有清一色的工厂和农田,一家人出行最多只是坐着巴士去池袋。在这样的环境中,石田亚由美歌声中"横滨"二字的语调与她的形象显得极具都市感,给我巨大的冲击。因为有这些记忆,电影的名字率先定了下来。

接着只需要添加剧本的细节部分。例如《蓝色街灯下的横滨》的唱片如果是母亲故意放的,那大概因为父亲曾经有过外遇;既然要拍吃饭的戏,就把我喜欢的炸玉米饼写进去。不过用餐的镜头只有晚上吃鳗鱼的一场,其他的场景不是准备做饭就是吃完饭收拾桌子。因为这样人物之间才能更好地交流。拍摄吃饭的镜

头时，比起用餐，准备和收拾显得更重要。这是我从向田邦子[25]女士的家庭剧中得到的启发。

写剧本的时候，我开始考虑选角的事情。主人公良多由谁来饰演呢？正在烦恼之际，我看到了出演富士电视台综艺节目《黑猩猩新闻频道》的阿部宽。

这是一档由一只猩猩担任主持的脱口秀节目，大木淳先生在导演室为它配音。节目中，阿部宽被猩猩骑在头顶，在跑步机上跑步时，又被猩猩调高速度。本来跑起来就可以，阿部宽却一直保持快走的姿势，一副窘迫相，那时候他的样子真是非常狼狈。长得很潇洒，表现却很狼狈，我不自觉地将阿部宽与良多的形象重合在了一起。于是第二天我就打电话给他的事务所，向他发出了邀请。"是因为看了猩猩播新闻"这种话，我实在说不出口，很久以后才跟阿部宽提起这件事，他倒高兴地说："幸好参加了那个节目。"

创作剧本时，我就决定邀请树木希林女士出演母亲的角色，所以剧本从第一稿开始就为她量身打造[26]。希林女士对母亲的角色理解得非常深入，给了我很多建议。

比如在浴室外取下假牙的场景，就是在希林女士的建议下才实现的。当时她告诉我："我也安了几颗活动假牙。电影中担心儿子牙齿的场景发生在中午，母亲自己安了假牙，所以担心儿子的牙齿，这样才有说服力。您看加上一幕取下假牙的戏如何？"另外，给长子扫墓时，母亲临出门前涂上了一层薄薄的口红。这也是来

162

自希林女士的建议。

大家往往以为希林女士经常进行即兴表演，其实她是对表演进行过细致的考虑后才来到拍摄现场的。拍摄第一天，她就告诉我："我不会改动一字一句的台词，也不会做多余的动作。"有想法的时候，她会直接告诉我："我想尝试这样做，要是不需要可以直接剪掉。"

原田芳雄先生饰演曾是医生的父亲一角。他曾经参与《花之武者》的拍摄。出演《步履不停》的时候，他说"我没有老到这个地步"，于是提出将头发染白。

另外，希林女士、夏川小姐和由希子小姐三人在拍摄间隙，也往往不回休息室，而是凑在一起聊天。阿部宽经过的时候经常会捉弄她们。然而，只有原田先生觉得"父亲的角色跟家人有隔阂"，拍摄间隙也独自在休息室坐着。拍《花之武者》时，原田先生常常在现场制造气氛。一到休息时间，他周围总是围着远藤宪一和寺岛进等人，与他们热烈地交谈。相比之下，他在拍《步履不停》时确实显得有点落寞。

《步履不停》中的父亲是个肚量很小的男人，经常说妻子的坏话，与儿子关系紧张。原田先生觉得这个角色非常有意思，但毕竟跟他本人的形象相去甚远，真是难为他了。

有一个场景让我印象深刻，就是晚上一家人坐在一起吃鳗鱼。孙子指着鳗鱼肝汤问："妈妈，这个可以吃吗？"母亲说可以，孙子正在犹豫要不要吃，原田饰演的祖父说道："那爷爷吃了哦。"

说着，他发出啧的一声，将舔过的筷子伸到孙子的碗中，开始吃起来。孙子直到最后都没有喝剩下的汤汁，祖父却一直没有注意到。

当我要求原田先生"发出舔筷子的啧啧声"时，他不自觉地流露出不快的神情。如果是原田先生，肯定不会这么做，但是影片中的祖父就有可能。看到原田先生内心的纠结，我觉得很有意思。最后，由于原田先生的抵触，没有录到舔筷子的声音，只能通过配音呈现。现在想来，真是怀念当时的情景。

通过与演员交流丰富剧本

在与演员交流的过程中，剧本的内容越来越丰富。对我来说，这个过程是最享受的。

比如饰演主人公良多的妻子的夏川小姐，她本人还没有结婚，也没有孩子，便问道："与婆婆单独相处的时候，被婆婆说什么最受不了呢？"我告诉她："说起女人的身体，估计很让人讨厌，比如说你的头发或者指甲很漂亮之类的。如果是你，会怎么想呢……"她回答："要是我的话，说到酒窝会很反感。"于是我在剧本中加上了母亲对她说"你的酒窝真可爱"的一场戏。在休息室将改过的剧本交给她时，她带着警告的意味对我说："你真的写上去了，接下来我可什么都不会说了。"

还有希林女士在影片开头抚摸着由希子小姐的头发，说道："这

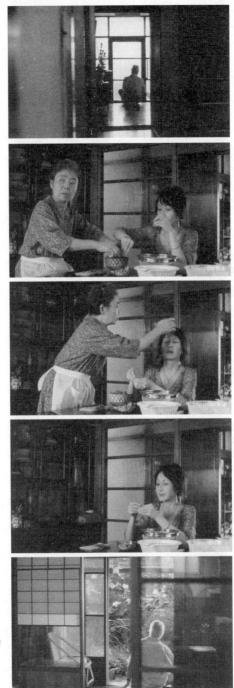

么漂亮的额头，要露出来啊。"这个场景正是用了两人在休息室的谈话。

原田先生的一句话也被我写入了剧本中。影片有一个场景，恭平素以古典乐装门面，有一次妻子揶揄他："他最近常在卡拉OK唱演歌《昴》呢。"对完台词后，原田先生指出："《昴》不是演歌吧？"我说："是的，确实不是。"接着大家开始热烈地讨论演歌是怎么样的，与一般的歌曲有什么不同。于是，我将"《昴》不是演歌吧"这句有点孩子气的台词加入了剧本（顺便提一句，经我个人调查，医生们经常在卡拉OK唱的歌是《昴》和《My Way》，在影片中我选择了《昴》)。

《步履不停》就是像这样与演员一起对剧本，然后修改，再决定每一个镜头的台词。接着进行排演，决定动作，再次对台词进行修改。做法还是挺规范的。

与将台词交给演员依照个性发挥的《距离》相比，《步履不停》中每个人物的性格显得更鲜明。也就是说，过程中虽然有某种意义上的"不自由"，却让登场人物在电影中获得了自由。当然，这无非是我个人的评价……

执着于分镜、灯光和声音

在拍摄《步履不停》之前，为了学习在日本电影史上留名的技术和技巧，我重温了成濑已喜男[27]导演的多部作品。

说起摄影机位置（机位），小津安二郎[28]导演是从正面拍摄，但成濑导演的每个镜头都将摄影机压得比拍摄对象稍低一点。两者的差别或许没有楷书和草书那么大，但观看两位导演不同的拍法，会对日本家庭住宅有截然不同的印象。成濑导演压低摄影机的做法，可以让房屋和家具等位置关系更加清晰可辨，演员的走位也会更容易。相反，小津导演的电影就很难捕捉空间关系。

重温成濑导演的作品，我还有一个新发现，那就是五十年代，东宝映画无论在美术、灯光还是摄影技术上都远远领先于其他公司。同为成濑导演的作品，在东宝拍摄的就比同时期在大映拍摄的水平高出一大截。东宝拍摄家庭电影时，不仅是室内场景，还为室外的整个街区搭建布景。这种丰富性如实地体现在了影片中。现在的电影公司已经做不到这种程度了，如何拍出现有的东西的丰富性，成了影片成功与否的关键。

《步履不停》中，横山一家居住的房子建于一九六五年左右，是和医院相连的两用住宅。房子内部的戏份是在摄影棚内搭布景拍摄而成的，所以工作人员四处奔走寻找能与内景搭配的房子，最后找到了位于东京三鹰区的一所儿童医院。这座房子以庭院和起居室为中心，两者中间隔着一条檐廊，起居室深处是厨房。根据这座房子的布局，我们决定在摄影棚内搭出厨房和起居室。

曾收到"根本分不清哪部分是外景、哪部分是内景"的评价，我听了十分欣喜。毫无疑问，这都得归功于美术设计人员高明的技术，以及尾下荣治先生高超的打光。

三鹰儿童医院的房子采光条件非常好，可以在自然光下拍摄。然而，尾下先生还是坚持加了人工光。这是为什么呢？问他原因，他向我讲述了一番打光的哲学思考："如果不添加人工光源，让自然光接近人工光源，剪辑时跟摄影棚内拍摄的画面会出现明显的反差。不能因为这里的自然光漂亮，就完全依靠自然光拍摄。"我听了不禁佩服专业人士的厉害。

在《步履不停》中，我在声音的处理上也花了点心思。片中有一个场景，当全家人都在起居室的时候，良多的姐夫与孩子们欢闹着回来。摄影棚内的声音不易扩散，容易形成回声，无论怎么做都会给人在室内的感觉。于是，我在东宝摄影棚的停车场内事先录下了孩子归来时的笑声，加入影片中。这样的做法在室内也能营造出室外的感觉，真可谓是声音的魔术。我执着的并非声音的"大小"，而是"远近"。通过为声音增加不同的距离感和扩散方式，才能模糊外景和内景的界限，构筑出一个真切而现实的世界。

采用导演助手的新形式

在《步履不停》中，我还尝试引入了"导演助手"的职位。

设置导演助手一职其实在《下一站，天国》中已经有过尝试。

当时，我找来了还是大学生的西川美和，她的职务是"助理导演"。一般的助理导演只参与从开拍到杀青期间的摄影工作，但西川美和参与了从企划、排练、摄影、剪辑到后期的所有工作。

西川后来成为自由职业者，在担任其他导演的助理的同时，还协助我拍摄广告和MV。后来，我向已担任三部影片的助理导演的西川建议："作为导演，应该在二十多岁的时候拍一部自己的片子。"这其中也有自己没能实现目标的羞愧之情。

在我的建议下，她暂时中止了助理导演的工作，写出了剧本的第一稿。她的剧本非常出色，坦率地讲，完全可以直接拍成一部电影。故事的场景几乎都发生在室内，所以预算也不高。我将剧本拿给ENGINE FILM的安田先生看，他是我非常信赖的人。他读完剧本后对我说："是枝君，应该赶紧着手拍摄啊。"于是我成了西川的《蛇草莓》与伊势谷友介《醒来的人》的制片人。

电影行业几乎从未有过"导演担任制片人、助理导演担任导演"的工作形式，所以周围的人很惊讶。然而在电视行业，这样的做法相当普遍。举个例子，如果我担任节目导演，助理导演提出某个企划，我会以制片人的身份将企划推荐给电视台。企划通过的话，助理导演就顺理成章地成为该节目的导演。

电影行业没有类似的形式，大概是因为大家普遍认为电影制片人和导演是性质完全不同的工作。导演的职务范围非常狭窄。在制片厂体系[29]盛行的时代，导演结束拍摄后直接投入下一部电影，效率确实更高。电影剪辑的工作会全权交给剪辑师，预告片

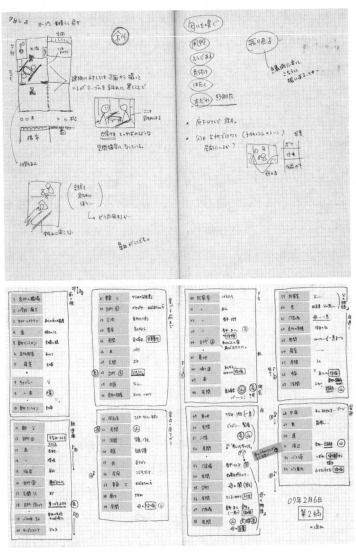

《步履不停》电影制作笔记

上：摄影机位置的备忘录　下：讨论场景顺序的笔记

和海报等宣传资料及上映规模则交由发行公司商定，导演对此没有话语权。然而，我一直以来都认为，无法参与自己电影的上映和宣传是不合理的。

电影导演邀请行业外的人才参与剪辑、广告宣传，自身也积极参与其中——首先采用这种模式的，大概是我和岩井俊二导演（在这之前，好像只有伊丹十三先生一人），这或许和我们两人都出身于电视行业有关（岩井导演也担任过他的助理导演的制片人）。

以《蛇草莓》和《醒来的人》为例，它们的制作费约在两千五百万至三千万日元之间。这种规模的资金相当于一般的电视制片人经手的费用。若是制作费用再增加，我往往将预算管理交由其他人负责，这种做法比较适合我。但如果能胜任制片人的工作，预算管理还是尽量自己负责为好。

将话题拉回到导演助手上，西川曾参与《下一站，天国》和《距离》两部电影从企划到制作的所有工作。这种形式非常有效。与推进电影进度的助理导演不同，导演助手更像智囊团的一员，与导演一起思考电影的方方面面，这在我的作品中是不可或缺的。

在《步履不停》中，这一工作由砂田麻美[30]小姐担任。三年前，我收到了砂田小姐寄来的信，她在信中诚恳地表示希望参与我的电影拍摄。我当时给她的回复是"如果时机合适的话"。"导演助手"这个名称，就是讨论如何在演职人员表中表述这个职位的时候，她想出来的。

当然，助理导演的工作并非只是安排拍摄顺序。但是一旦开始拍摄，助理导演往往要考虑"这个场景必须在几点结束，并在十五分钟内转场，如果不拍完下一个镜头的话……"等拍摄流程，根本没有多余的精力再用一天时间反复思考刚才拍摄的画面，也绝对不会说"昨天拍摄的场景还需要重拍"，否则会让自己陷入"自作自受"的境地。

正因如此，我才增添了无论何时何地都可以向导演提意见的"导演助手"职位。

拍摄《步履不停》期间，砂田小姐一拿着剧本来到我身旁，助理导演们便用可怕的眼神看着她，仿佛在说："那家伙可不要多嘴！"但是我觉得，助理导演和导演助手现在应该分别扮演着油门和刹车的角色，双方相互理解，维持着良好的关系，至少比以前改善了不少。

死者代替神明的说法

我的电影往往被认为在"描写失去"，但是我更倾向于描写"被留下来的人"的说法。

这源自《无人知晓》参加戛纳电影节时一位俄罗斯记者的评价："您常常被认为是一位讲述死亡和回忆的创作者，然而我并不这样想。您讲述的是留下来的人，像被父母抛弃的孩子、丈夫自杀的妻子、加害者的亲属等，这些都是在讲述因为亲人离世被留下来的人的故事。""果然，或许真的是这样。"我非常认同他的说法。自己潜意识中的想法被记者敏锐地点了出来，真是有趣的经历。

二〇〇〇年左右，我与黑泽清、青山真治一同受邀参加海外的电影节，那时常被问起"为什么日本导演常常描写失去"。

我回答："其实各有各的想法，被混为一谈会令人困扰。"记者接着追问："与广岛和长崎遭受原子弹轰炸有关系吗？"无论是黑泽导演，还是青山导演和我，都一致认为与广岛和长崎没有直接联系。然而在外国人看来，或许有某种程度的关联，正如我们说起"犹太人"，就联想到大屠杀和奥斯维辛集中营一样。总之，观众往往习惯通过追溯历史，到作品中去探寻该国民族的特性和根源。

有过多次类似的问答后，我不得不重新开始思考西方和东方的不同之处。

明显的不同在于，在西方人看来，死亡始于生命的终结，也就是说生与死是两个对立的概念。但是在东方人（特别是日本人）看来，生与死是表里一体的，两者的关系甚至有点亲近。死亡未必始于生命的终结，死常常存在于生的内部。这个观念一直以来都存在于我的思想中。

对西方人来说，这个观念或许非常新颖。

在巴黎举办的《步履不停》首映会上，发生了一个有趣的小插曲。

在欧洲，我反复被问到"为什么您的作品中经常有并不出现的死者"，"为什么不讲述死亡，而是常常讲述死后的世界"。我一直苦于如何回答，当时却不自觉地说出了这样的答案：

日本到某个时期为止，一直都有"无颜面对祖先"的观念。日本没有绝对权威的神明，但是日常生活中存在着一种伦理观：应该活得对得起死去的人。我也怀着这样的伦理观。因此，日本文化中的"死者"代替了西方文化中的"神"。死去的人并不是就这样离开了世间，而是从外部批判我们的生活，承担着伦理规范的作用。也就是说，从故事外部批判我们的是死者，而站在故事内部承担这一角色的是孩子。

在场的记者都非常赞同我的观点。此后，我经常使用"死者代替神明"的说法。

我的家庭电影：无法替代，却很麻烦

由自己来评论自己的电影，有点难开口，但《步履不停》制作完成的时候，我自认为"拍了一部很满意的作品"。这是我迄今为止拍得最轻松、最流畅的电影。

在《步履不停》之前，我身上多多少少还带着出身于电视行业的自卑情结，"电影究竟是什么"，会不自觉地把这类追问电影类别和方法论的思考带入作品中，不免有"形而上学式的思考"

的倾向。但是在《步履不停》中，我没有追求任何方法论。

我内心有一套判断影片是否属于家庭电影的标准。

人们常说"正因为是家人才互相理解"、"正因为是家人才无话不谈"，然而事实并非如此，"正因为是家人才不想让他们知道"、"正因为是家人才无法理解"反而更符合现实。山田太一[31]先生的家庭剧讲述的正是这样的家庭关系，向田邦子女士描绘的家庭故事中，男人的安栖之处往往也在家庭之外。因此，我想试着讲述自己独有的真实的家庭故事，用一句话概括就是"难以替代，却很麻烦"。拍摄家庭电影很重要的一点是同时讲述这两方面，《步履不停》在某种程度上或许做到了这一点。

而且，听到"这不是电影，是电视剧"的评论时，我也并不否认，丝毫没有反驳的想法。在这里，我不是电影创作者，而是电视创作者。《步履不停》这部作品让我坦率地认识到自身的本质。这并不是刻意忽视，也不是放弃，不管愿意与否，它都印刻在我这个创作者身上。我坦率地承认并接纳留在自己身上的电视基因，然后试着正视它。

祝你平安——Cocco 的无尽之旅
2008

因为感动而持续拍摄

开始拍摄纪录片《祝你平安——Cocco[32] 的无尽之旅》，是在二〇〇七年年末。

出身冲绳的歌手 Cocco 于一九九七年正式签约出道，二〇〇一年四月宣布中止音乐活动，其后出版了绘本，积极开展"零垃圾大作战"行动，呼吁清洁冲绳的海洋。二〇〇六年重新开始音乐活动。

记得是二〇〇七年十一月初，我接到了 Cocco 的经纪人上野新先生的电话，约在青山书店旁的一家咖啡厅见面。他给我看了 Cocco 的单曲《看得到儒艮的小丘》的整版报纸广告，以及 Cocco 在慈善演唱会"LIVE EARTH"上演唱这首歌的录像，我觉得非常棒。上野先生对我说："我们想以更具体的方式来呈现。"我当即回答："不管做什么，我都乐意之至。"我看到她唱歌的身影，就觉得"想做点什么"，说得准确一点是觉得"必须做点什么"。

说起打动我的地方,就是歌曲最开始的那句"还是碧蓝的天空"中的"还是",以及歌曲唱到一半时的"已经够了"中的"已经"。"还是"和"已经"两个词竟然可以这样用,说实话我颇为惊讶。"还是"意味着未来什么时候将面临失去,"已经"则背负着过去的记忆,但支撑两者的则是名为"现在"的时光,这是我听她的歌曲时感受到的东西。

　　我并不是个容易冲动的人,然而那一刻却决心"尽绵薄之力",所以在十一月二十一日巡演的第一天,我与她一起去了名古屋开始拍摄。

　　从另一方面说,这其实是对Cocco的回礼。二〇〇六年,拍摄《太阳雨》的MV时,她将《沙地的海贼》这首新歌作为礼物送给我。这是她在伦敦偶然观看了《无人知晓》之后,受到启发而创作的,至今仍是我珍贵的宝物。

　　将近两个月的时间里,我追随着Cocco的巡演去往各地,最后来到她的故乡冲绳,在"看得到儒艮的小丘"上对她进行采访,整个拍摄之旅也随之画上了句号。

　　回想那段时间发生的事,与其说是为了拍摄纪录片,倒不如说我是因为感动才一直拍下去。

　　名古屋演唱会之后,为纪念散文集《所想的事》[33]的出版,在新宿举办了一场小型音乐会。当时在不大的会场上,Cocco用对等的目光同观众交流。也是在那个时候,我第一次听到了《小鸟之歌》。说起来有点不好意思,那一刻我为自己能在现场而感到幸运。整部片子几乎是连续拍摄而成，在这层意义上，我与Cocco这个拍摄对象的关系和以往的不太一样。

在现场，Cocco多次对着观众呐喊："要活下去！"二〇〇八年一月九日、十日在武道馆举办的演唱会是巡演的最后一站，她仍然在现场大喊"要活下去"。

然而拍摄结束后，我收到了Cocco寄来的信，她在信里写道："那时候我撒谎了。"事实上，她患上了进食障碍。我只是觉得"她都没怎么吃东西，越来越瘦，但应该还好"，不知道是这个原因。

她的身体拒绝着生存，却还在向观众传达"要活下去"的想法。她感受到了这两者间的悖异之处，所以才在信中说"我不想

《祝你平安——Cocco的无尽之旅》

[上映时间] 2008年12月13日　[发行] Klock Worx　[制作]《祝你平安》制作委员会　[影片时长] 107分钟　[概要] 2007年11月，Cocco举办了出道十周年巡演，以此为契机，她走访了阪神大地震的遗迹，并在复兴纪念碑前创作了歌曲。另外还走访了青森县因核电事故而前途未卜的六个村庄，跟当地的女孩们亲切地交流。一路上，摄影机始终追逐着她的身影……　[主演] Cocco、长田进、大村达身、高桑圭、椎野恭一、堀江博久等　[摄影] 山崎裕等　[助理导演] 砂田麻美

再说谎了"。但是在我看来，"要活下去"不仅仅是传达给现场观众的信息，同时也是 Cocco 向自己的身体传达的意志，非常理解她。她也明白了自己为什么会发出"要活下去"的呐喊。

因此，在影片的开始和结束部分，我打出了"一路上只看到她吃了黑糖"和"她住院了"的字幕，这是我们两人达成某种理解的表现。

在信上，她还写道：儒艮以后会怎么样呢？冲绳现在怎么样了？如今发生的种种事情，十年后看到的时候是否还有意义？我将她的这些想法也反映在了片子中。

Cocco 有两句话令我印象深刻。

第一句是"所以我要唱歌"。不是"但是"，而是"所以"。从这句话中，我感到她将"唱歌"与"生命"融为了一体。虽然有种种复杂的感受，但仍然积极地接受生命给予的一切，坦率地用歌声表达出来。我想通过这部作品把这一点传达给大家。

第二句是"yonna、yonna"，这是冲绳方言，意为"慢慢来，不要急"。在新宿演唱《小鸟之歌》前，Cocco 对观众说道："我们被赋予了生命，被赋予了唱歌的权利。活着是一辈子的事情，所以慢慢来啊，yonna——yonna……"

一个 Cocco 说着"慢慢来，不要急"，而另一个 Cocco 在舞台上说着"要好好活下去"、"对活着感兴趣"，表现出对生的强烈的执着，或者说急于生存下来。她本人是否发觉了这两个 Cocco 之间的矛盾？拍摄结束后，Cocco 在给我的邮件中写道：看到路上有垃圾，如果不捡起来就无法安心。可是路上依然会有垃圾，说到底，垃圾永远都捡不完。我发现，她其实早已察觉了两个自我之间的差距。

巡礼

剪辑于三月下旬暂时告一段落，完成另外一个纪录片节目后，再回头继续剪辑。

在剪辑的过程中，我也邀请了Cocco观看，并征求她的意见。Cocco却明确表示："这不是我的作品，请导演按照自己的意思来吧。"她事先就划清界限，提出的意见都不逾矩。说起来让人有点不甘心，但她的意见的确有建设性。像是"在青森我应该这样说过，如果把这句话放入作品，会让这部分更生动吧"，比起自己看起来如何，她更在意作品的整体效果，她的建议是为了更好地传达影像中的世界观，这点让我受益匪浅。

另一方面，她欣喜地告诉我："拍摄让我发现了与家人之间的亲密关系，真的非常开心。"这么看来，拍摄这部纪录片对她个人也有一定的意义。

在巡演期间，我对Cocco的认识也发生了变化，她让我明白，"歌曲是因为接触世界而产生的"。

比如，《再见南瓜派》这首歌是Cocco看到阪神大地震纪念碑之后创作而成的。"活下去"的信念也来自那里，最终又回归到她自己身上。这个过程对她来说应该很辛苦，但是与产生自内部情感的歌曲相比，通过观察外部世界创作出的歌曲蕴涵着更坚强的意志。

当然，Cocco 可能也以这样的方式创作过歌曲，在理解她的时候，是否可以作为她的一个重大变化来看呢，老实说我并没有把握。但是，我想用这个视角观察她，想看到她现在的坚强和美丽，这大概就够了。

Cocco 经常说："想创作属于大家的歌曲。"《小鸟之歌》正是为了纪念因癌症去世的友人而写的，入殓时，她将歌曲的 CD 放在了这位朋友的棺木里。

然而在 Live House 中，当 Cocco 随着乐队即兴演奏的音乐演唱时，《小鸟之歌》却流溢出浓浓的温情。那时，她创作歌曲的初衷以另一种形式传达给了现场的听众，毫无疑问成了"属于大家的歌曲"。我在前面提及的"感动"就是指这样的东西。在巡演的高潮，歌曲的意义和其中包含的感情渐渐产生了变化，呈现出丰富的样貌。

电影的名字"祝你平安"来自本章开头写到的名古屋演唱会上，Cocco 在现场致意时所说的话。这也是我真心想对她说的。（"yonna、yonna"也很好，但没听过就不知道这句话的意思。）

事实上，纪录片最初的名字是"巡礼"。青森的六个村庄、神户、广岛、冲绳……Cocco 去各地感受，付出激情，创作歌曲，最后吟唱出来。她的身姿与其说是音乐人，倒不如说更像宗教意义上的巡礼者。

当时有位记者在采访中对我说："看了影片，我感到歌唱和祈祷仿佛重合了起来。"我也有类似的想法："这其实并不是巡演，而是持续不断的祈祷、歌唱。"希望大家观看后也能有这种体会……片名正式决定后，还请 Cocco 题了字。她有些不好意思，在副标题"无尽之旅"下面写上了"想终结的旅途"、"无法终结"、"早点结束吧"等字眼，工作人员看了不禁莞尔。

正像前面说的，拍这部影片时，我与拍摄对象的关系与平时拍纪录片时完全不一样，所以，我也没有自信能否将它称作纪录片。

但因为是自主参与拍摄，旅费和住宿费等都由自己负担。抱着"即使作品最终无法成形也无妨"的心态拍摄的日子，对我来说非常值得怀念。回顾拍摄第一部纪录片《另一种教育——伊那小学春班记录》时的心情，与此刻并无二致，《祝你平安——Cocco 的无尽之旅》让我找回了这久违的感觉。

空气人偶

2009

出众的专业能力

我的第七部电影《空气人偶》，取材于漫画家业田良家[34]于二〇〇〇年发表的短篇精选集《业田哲学堂：空气人偶》[35]。看完没多久就写出了企划书，由于中间发生了很多事情，与拍成电影相隔了九年的光阴。

原作吸引我的一点是空气人偶，也就是充气娃娃（以前也叫Dutch Wife）在音像店工作时碰到了钉子，身体开始漏气，萎缩下去。之后她心爱的男子在地板上为她吹气。原作中，这一幕描绘得相当情色，极具影像感。业田先生将给人偶充气和人偶被充气这种呼应关系当成性爱场面来刻画。

一直以来，我述说的都是"缺失"和"死者"，总给人一种消极的印象。这部作品的主题"空虚"通常也会给人消极的感觉，但从业田先生短短二十页的画稿中，我发现因为别人给自己的身体吹入空气而得到满足的情节，显示出个体与他者之间的关系有着丰富的可能性。

也就是说，空虚在与他人的相遇中才能消解。空虚孕育了可能性——自身正是因为感到缺失，才想与他人建立联系。这样看来，《空气人偶》是一部非常积极的作品。

确定裴斗娜[36]出演《空气人偶》之后，电影的拍摄工作越来越顺利。听说她当时对是否出演非常犹豫，去征求奉俊昊[37]导演的意见，导演告诉她：“看起来很有趣，你应该出演。”现在想来，真该感谢奉俊昊导演。

开拍之后，我常常为裴斗娜身上散发出来的能量而吃惊。首先是语言问题。当然请了翻译，但是在拍摄过程中，遇到翻译不

©2009 业田良家、小学馆、
《空气人偶》制作委员会

《空气人偶》
[**上映时间**] 2009 年 9 月 26 日　[**发行**] Asmilk Ace　[**制作**]《空气人偶》制作委员会　[**影片时长**] 116 分钟　[**概要**] 一个在家庭餐厅工作的平凡男人有个充气娃娃。他给充气娃娃取了名字，每天跟她说话。有一天早晨，娃娃忽然拥有了心灵。她来到街上，开始在录像带出租店工作……本片入围戛纳电影节“一种关注”单元。[**原作**] 业田良家　[**获奖**] 日本电影学院奖最佳女主角奖、高崎电影节最佳电影奖和最佳女主角奖等五项大奖　[**主演**] 裴斗娜、井浦新、板尾创路、高桥昌也、余贵美子、小田切让等　[**摄影**] 李屏宾　[**灯光**] 尾下荣治　[**美术设计**] 种田阳平　[**服装**] 伊藤佐智子　[**配乐**] world's end girlfriend　[**宣传美术**] 森本千绘　[**出品**] 安田匡裕

在的情况也没有问题。她的耳朵非常敏锐，能准确地把握导演的要求。即使没有细致的说明，她也能理解我的意图，发挥出优秀的演技。

她进入角色的方式也很高明。早上四点半来到化妆室，花三小时左右进行全身化妆，之后来到片场。一进片场就完全投入角色中。有一天早上，我去跟她打招呼，看到她正在化妆，拿着剧本边看边流泪。我担心是不是发生了什么，化妆师对我说："拍摄的时候，作为人偶的她是不能哭的，所以现在先哭一下，好酝酿情绪。"我后来听说她每天都是如此。

裴斗娜只出现了两次 NG 的情况。还不是因为台词和表演问题，而是她难以控制自己的情绪，眼泪不断地往下掉。一次是裴斗娜来到高桥昌也饰演的曾是诗人的男子家里，她窥视着高桥先生的脸，而后低下头，眼泪不自觉地流了下来。我问她，为什么可以做到一条过。她回答："在韩国拍电影时，根本不会给我这样的新人 NG 的机会，这也锻炼了我。"

《花之武者》的主演、V6 组合的冈田准一也是如此，身体反应能力特别敏锐，总是清楚地知道自己处于镜头的什么位置。他告诉我，这大概是一直作为六人组合的一员跳舞培养的能力，就算不看，也知道自己与其余五名成员之间的距离和动作的差距。当摄影机跟随他的走位移动时，他却要求："让我跟随摄影机动吧，摄影机自由移动就好。"他的话让我非常惊讶，但结果显示他一直处于镜头中，从来没有走到镜头之外。

毫无疑问，裴斗娜与冈田准一有同样出众的身体能力，他们仿佛从高处俯瞰下面的风景一般，即使不看监视器，也清楚自己此刻处在画面的哪个位置。这种感觉大概和足球比赛时，一流的选手能像在高空一般，清楚地知道另外十个人的位置一样。

比如有一场戏，裴斗娜在后面，与她对戏的板尾创路在前面。摄影机沿着轨道从左向右移动时，在某一个位置，她的脸会和板尾的身体重合，她的台词说得稍快了一些，以致嘴角被板尾的右肩挡住了。于是我喊了停，正想与她沟通，她立刻告诉我："啊，没关系，我会将台词延后一点。"我还没开口，她便理解了我的想法。

另外，拍摄在房间内飘浮起来的一场戏，裴斗娜同样令我惊讶。

拍摄方法本身是很规中矩的。先让裴斗娜进入一个梯子般的道具，由两名工作人员在两侧抬起来，上上下下地移动。镜头只对准裴斗娜的双脚拍摄，画面中，她的双脚渐渐地消失，进而又出现，又消失，又出现。这个镜头重复了很多遍，直到拍到满意的画面。

拍摄结束后，工作人员兴奋地说道："那个女演员太厉害了。我们往上抬了好几次，早已精疲力尽，开始有点抬不起来的时候，为了从画面中看不到双脚，她靠自己的力量将脚微微缩上去。她被这样抬着，却依然能感受到镜头的位置。根据我的经验，如果没有万屋锦之介 [38]、胜新太郎 [39] 等一流动作演员的身体感知力，就做不到这一点。"

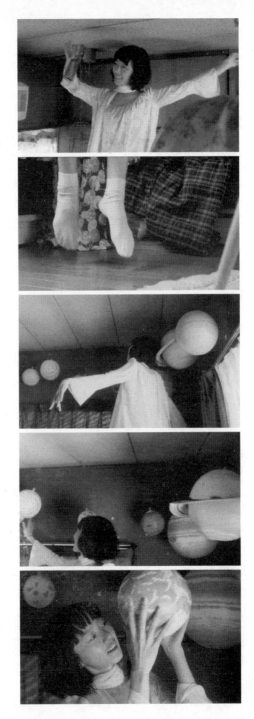

于是，我问裴斗娜是如何做到的，她回答说："因为我一直看着墙壁。当升到最高处时，确认视线能到达的高度，感觉稍稍偏低的时候，就相应地缩起双脚。"

导演并不是经常能遇上能力如此出众的演员。现场的工作人员都非常感动，无论如何都想为她做些什么。我深切地感受到，如果有一位极为专业的演员，能加倍激发周围的工作人员的专业性。当然，我同样是其中的一分子。

观察与展示拍摄对象的工具

除了裴斗娜之外，《空气人偶》中还有另外一名外籍工作人员，那就是摄影师李屏宾[40]先生。

侯孝贤早期的作品《恋恋风尘》《童年往事》[41]《戏梦人生》[42]等都由李先生掌镜，他在影片中采用的固定机位[43]非常出彩。在王家卫[44]导演的《花样年华》[45]中的移动镜头，更令我感到无比震撼。

随着数码技术的发展，现在的电影往往可以通过后期处理改变明暗和颜色等。近年来说起摄影师的工作，也几乎是"现场占四成、后期占六成"，所以很多时候对现场的拍摄都抱着"糊弄"的心态。在这样的时代潮流中，李屏宾先生依然坚持使用胶片拍摄，摄影工作一概在现场完成，完全不做后期处理。

但是，该如何调节镜头、做滤镜处理[46]才能拍出想要的画面呢？其中的秘密只有李先生知道。另外，作为摄影监制，李先生还承担着灯光的掌控。但他撤掉了灯光部的所有灯光，表示"这样就可以"。他大胆的灯光设计令现场的工作人员颇为震惊。我相信，当时灯光部的工作人员肯定忐忑不安。

但是看了第一组样片[47]（应该是富司纯子女士出演的那一场戏），全体工作人员都对李先生的专业能力表示信服。每天我都绞尽脑汁思考着，我们该如何配合李屏宾和裴斗娜这样拥有世界级水准的工作人员。

经历了几部纪录片和剧情片的拍摄，我不断在失败中探索适合不同类型的作品的拍摄方法。当《无人知晓》被评价为"纪录片式"的影片时，我感到有点别扭。

广告业人士使用这个模棱两可的词的频率最高，其含义具体说来就是"总觉得像真的"。这是受一九九九年上映的伪纪录片《女巫布莱尔》[48]的影响，当时很多好莱坞电影都将手持摄影效果引入了电影中。

然而，谁也没有思考过为什么要采用手持摄影。

摄影机在承担观察拍摄对象的作用的同时，也是展示拍摄对象的工具。采取这种摄影方式的理由不同，产生的效果也相去甚远。但是，大部分被称为"纪录片式"的影像仅仅是为了让画面看起来像真的（＝伪纪录片），才采用手持摄影，并非基于与拍摄对象的关系来考虑。即使采用相同的拍摄方式，出发点不同，最终的效果也大不相同。

在《下一站，天国》《距离》《无人知晓》《花之武者》《步履不停》中担任摄影师的山崎裕先生出身于纪录片行业，他往往基于"如何观察拍摄对象"的动机拍摄。在我看来，他是属于"纪录片"的摄影师。

但是，摄影机（山崎先生）越是对准拍摄对象，观众就越能感觉到隐藏在摄影机背后的摄影师（山崎先生），有时会出现故事片不像故事片的情况。有观众看完《距离》之后评论道："电影中登场的人物不止五个，还有另外一个人。"作为摄影师的山崎先生观察五个人的视线过于强烈，进而成为画面中五个人之外的另一个人物。

不仅是手持摄影，用固定机位拍摄的时候，同样可以感受到山崎先生强烈的视线。拍摄《步履不停》时，我拜托山崎先生："我想带着尊敬的心情对待所有的拍摄对象。桌子上的紫薇花、日常生活中的那些细微事物……请怀着尊敬、珍爱的心情拍摄这一切。"正因为山崎先生的视角，《步履不停》才成了这样一部电影：并非单纯地拍得唯美，而是带着赞美和喜欢等心情来观察拍摄对象。

另一方面，从一开始我就认为，"如果将《空气人偶》拍得太现实的话，会让人联想到慰安妇"。

裴斗娜对此也很担心。也就是说，将《空气人偶》拍成纪录片式的作品，会超出我们的意图，被政治化地解读，从而背离电影的本质。因此，我决定拍摄一部彻底的幻想作品，邀请李屏宾

《空气人偶》中，给人偶吹气一幕的分镜图

先生担任摄影监制是再适合不过的选择。

"空虚孕育着可能性"的主旨

《空气人偶》虽然是根据漫画原作改编，但是电影中也有一些新的设定和灵感。

例如，安徒生童话《美人鱼》中，不属于人类的美人鱼爱上了人类，因此希望自己也变成人，最后却化为泡沫，永远地消失了。我决定将美人鱼的故事作为《空气人偶》创作的源头。

还有一个是幻想电影《绿野仙踪》。无论是少女桃乐茜、没有头脑的稻草人，还是没有心的锡兵、怯懦的狮子，这些形象都存在某方面的缺陷。为了弥补自己的缺陷，他们踏上了旅途。我曾经试图将这个故事进行类似的影像化的变形处理。

另外还有一个是吉野弘[49]先生的诗歌。

《步履不停》在仙台举办过放映活动，主办方的一位老师给我寄来了信，表示"有一首诗歌与导演您的电影描述的世界观很相似"，并随信附上了那首诗。是吉野弘的《生命》[50]，其中一节的内容是这样的：

生命自有缺陷

需要他人来填满

这不就是《空气人偶》想要讲述的主旨吗？所以我立即联系了吉野弘先生，希望能将这首诗完整地放在电影中。

距离电影上映已经过去了六年时光，每次想起来，一股后悔的情绪就会袭上心头。那时，我将《美人鱼》、《绿野仙踪》、吉野弘先生的诗、采访与人偶生活的人们以及人偶师获得的各种素材投射在剧本中的时候，当初"想简单地讲述从原作中感受到的积极一面"的想法也渐渐变得暧昧不清。尤其是演员的演技太精湛，我不自觉地被他们演技的真实性牵引，最终没有成功地拍出幻想电影的感觉。

空气人偶错手杀死了青年。事后再看，我被故事的悲剧性吸引，使得一开始想讲述的"空虚孕育着可能性"这个积极的主旨变得非常稀薄。她感受到的充实、心爱男子的气息充盈在体内的感觉、丢弃气泵接受漏气的现实，这个与衰老和死亡联系在一起的简单故事或许比现在的成品更好。

然而，当时我却觉得这样的设定太浪漫。人类与人偶之间的交流困境，应该与填满缺失的充实感不同。无论去往何处，身为人偶的她都无法彻底摆脱与他人交流的困境，因此在电影中，我放大了原作中出现的青年的重要性。

但我自己非常喜欢《空气人偶》这部作品。虽然出现一些失控的地方，但也相应地增加了作品的魅力，而且完成度的高低并不是评判电影的全部依据……与《距离》相同，《空气人偶》中

空気人形

Set Name: 秀雄の部屋　B

Director: Hirokazu Koreeda

Production: Yohei T

Hiroki Kaneko	Drawing Date:	
	d 17 / m 11 / y 2008	
director:	Set decorator:	Production:
iroki Kaneko	Tomomi Nishio	TV MAN UNION, INC.

《空气人偶》布景的意象图

也存在多层的思考过程，不同的故事线沿着"空虚孕育着可能性"这个主题层层展开，这不正是我想表达的吗？显然，这样的自我评价或许过于宽容了。

Image 还是 Hommage？

来到大学里，经常会有学生问我："影像是自我表现，还是传达信息？"

至少对从拍摄纪录片进入影像世界的我来说，作品绝不是产生于自我之中，而是产生于"我"与"世界"相接的地方。尤其是通过摄影机这种机器生成的影像，这个特质就更加明显。纪录片的基础不是为了传达自己的信息，而是"为了与世界相遇才打开摄影机"，这大概也是与剧情片最大的区别。

上文提到的吉野弘的诗歌"生命自有缺陷，需要他人来填满"中展现的人类观，非常契合我的电影哲学。

另外，在二〇〇七年，我拍摄 NHK 高清电视台的节目《当我年幼时：谷川俊太郎篇》[51] 的时候，谷川先生反复说起："诗歌并非要表现自我，而是要记录丰富的世界。"这句话在我心中留下了深刻的印象。

之后，我有幸与摄影家荒木经惟[52] 先生见面。令我难忘的是，荒木先生也反复说道："现在的摄影作品缺乏 Hommage。"在摄影作品中，重要的不是摄影师的想象（Image），而是投射在拍摄对象上的爱（Hommage），照片会将这些东西反映出来。我由衷地赞同这个观点。

大岛渚导演在年仅三十二岁的时候说过："一个创作者能创作出对一个时代产生意义的虚构作品的时间，至多不过十年。我的十年已经拍完了。"所以不久后，他宣布开始拍摄纪录片。如果没看准该在何时如何更换血液，维持新陈代谢，创作者和电影导演就会陷入自我模仿的窠臼，作品也会越来越无聊。大岛渚导演的这番话，我一直引以为戒。

当然，像埃里克·侯麦[53]这样长寿的导演是例外。他不管是在七十岁还是八十岁的时候，都在拍摄新颖而充满朝气的作品。克林特·伊斯特伍德[54]在这一点上与他非常相似。

也有像杨德昌[55]导演这样的类型，在拍完《恐怖分子》[56]和《牯岭街少年杀人事件》[57]这两部杰作后，沉寂了很长一段时间，最终完成了集大成之作《一一》[58]。我感动于创作者竟然可以达到如此成熟的程度。

侯孝贤导演则属于一鸣惊人型。侯导早期拍的基本是田园牧歌式的作品，之后也拍摄了不少讲述青春的片子，其间陆续拍摄出了《童年往事》《恋恋风尘》《悲情城市》[59]这样成熟的杰作，在亚洲甚至出现了"八十年代是侯孝贤的时代"的评价。之后，他仍不断尝试改变，丝毫不畏惧转变自己的风格，这也是我无比敬佩他的地方。

大岛渚导演的话如果是正确的，那放在我身上看，我是否已经经历了那"十年"呢？如果正在经历，今年又是哪个年头呢，抑或是还没有到达那个阶段？我时常在思考这些事情。不管是好是坏，所幸我没有固化自己的风格，比起 Image，我更珍视 Hommage。因此，我丝毫不担心因为丧失想象力而拍不出东西的情况。

　　今后如何才能更加成熟地看待电影、看待世界，要达到这个目标，又需要做些什么？我想继续思考下去。

注释

[1] —— 西巢鸭弃婴事件
1988 年 7 月发生在东京丰岛区的一起弃婴事件。父亲失踪后，母亲也留下四个年幼的孩子离开了家。四个孩子的父亲各不相同，孩子出生时也没有到有关部门办理出生证明。母亲虽然提供过金钱援助，但事实上处于弃养状态。同年 8 月，母亲以遗弃致死罪被逮捕、起诉，被判有罪。

[2] —— Director's Company
1982 年由石井聪互、井筒和幸、黑泽清、相米慎二、长谷川和彦等九位当时的新锐导演创立的电影制作公司，制作了热门影片《台风俱乐部》《使犬之死》，于 1992 年宣布破产。

[3] —— 相米慎二
电影导演。1948 年生于日本岩手县。从中央大学文学系肄业后，在长谷川和彦的介绍下进入日活电影公司成为临时助理导演，参与拍摄情色电影。1980 年，执导第一部影片《飞翔的卡普尔》，第二年执导《水手服与机关枪》，票房大获成功。代表作有《鱼影之群》《台风俱乐部》《雪之断章 情热》《搬家》《啊，春天》《风花》等。2001 年去世。

[4] —— 长谷川和彦
电影导演。1946 年生于日本广岛县。在东京大学文学系就读的第五年退学，进入今村制片公司，后成为日活电影公司的临时助理导演，1975 年成为自由导演。第二年执导处女作《青春杀人者》，被媒体誉为"电影新浪潮的旗手"。1979 年执导《盗日者》，票房失利，但被誉为"20 世纪日本电影的代表作"。之后开始执导电视剧和广告等。

[5] —— 青山真治
电影导演。1964 年生于日本福冈县。1995 年以录像电影《教材上没有呀！》出道。2000 年执导《人造天堂》，获得戛纳电影节费比西国际影评人奖和天主教人道精神奖。代表作有《无援》《月之沙漠》《神呀神！你为何离弃我》《悲伤假期》《东京公园》《相残》等。现任多摩美术大学教授。

[6] —— 《人造天堂》
青山真治导演的电影，于 2001 年在日本上映。导演本人执笔的同名小说获得三岛由纪夫奖。

[7] —— 《萤火虫》
河濑直美导演的电影，于 2000 年在日本上映。

[8] —— 诹访敦彦

电影导演。1960 年生于日本广岛县。
在东京造形大学设计系就学期间，
开始拍摄独立电影。1997 年，执导
第一部长片剧情片《2／双》。代表作
有《家庭私小说》《广岛别恋》《现代
离婚故事》《由纪与妮娜》等。

[9] ——《广岛别恋》

诹访敦彦导演的电影，2001 年在日
本上映。

[10] —— 利重刚

电影导演、演员。1962 年生于日本
神奈川县。1981 年执导的独立电影
《教训 I》入围 PIA 电影节。代表作
有《柏林》《睡莲》《归乡》《再见了
德彪西》等。

[11] ——《睡莲》

利重刚导演的电影，2001 年在日本
上映。

[12] —— 口述台词

指在拍摄时，口头向演员说明台词
和表演方式。

[13] —— 阿巴斯·基亚罗斯塔米

电影导演。1940 年生于伊朗德黑兰，
毕业于德黑兰大学艺术系。1970 年，

凭借短片《面包与小巷》出道。代表
作有被称为"乡村三部曲"的《何处
是我朋友的家》《生活在继续》《橄
榄树下的情人》，以及《樱桃的滋味》
《随风而逝》《合法副本》等。

[14] ——《电影在继续》

阿巴斯·基亚罗斯塔米和同为伊朗
导演的库马尔·普拉哈迈德合著，
1994 年由晶文社出版。

[15] ——《何处是我朋友的家》

阿巴斯·基亚罗斯塔米于 1987 年执
导的电影，1993 年在日本上映。

[16] —— 肯·洛奇

电影导演。1936 年生于英国沃里克
郡，毕业于牛津大学法律系。1962
年进入 BBC，出任电视节目的导演。
1967 年，执导第一部电影《可怜的母
牛》。代表作有《小孩与鹰》《底层生
活》《土地与自由》《风吹麦浪》《寻
找埃瑞克》《天使的一份》等。

[17] ——《小孩与鹰》

肯·洛奇于 1969 年拍摄的英国电影，
1996 年在日本上映。

[18] ——《黑暗中的舞者》

丹麦导演拉斯·冯·提尔于 2000 年拍

摄的丹麦与德国的合拍电影，同年在日本上映。获戛纳电影节金棕榈奖。

[19] —— 拉斯·冯·提尔
电影导演。1956年生于丹麦哥本哈根。从哥本哈根大学电影系毕业后，进入丹麦电影学校学习电影拍摄。1984年，执导个人第一部剧情长片《犯罪分子》。代表作有《欧洲特快车》《破浪》《黑暗中的舞者》《狗镇》《反基督者》《女性瘾者》等。

[20] —— 达内兄弟
电影导演。哥哥让－皮埃尔·达内和弟弟吕克·达内分别于1951年、1954年出生于比利时列日省。1974年开始拍摄纪录片。1987年执导第一部剧情长片《法尔什》。代表作有《罗塞塔》《他人之子》《孩子》《单车少年》《两天一夜》等。

[21] —— 《罗塞塔》
达内兄弟于1999年执导的比利时和法国的合拍电影，2000年在日本上映。获戛纳电影节金棕榈奖。

[22] —— 布鲁诺·杜蒙
电影导演。1958年生于法国巴约勒。1997年执导第一部剧情长片《人之子》，获戛纳电影节金摄影机奖。代表作有《人，性本色》《29片棕榈叶》《弗朗德勒》《1915年的卡蜜儿》等。

[23] —— 《人，性本色》
布鲁诺·杜蒙于1999年拍摄的法国电影，2001年在日本上映。获戛纳电影节评审团大奖。

[24] —— 《蓝色街灯下的横滨》
石田亚由美于1968年发行的第26支单曲，专辑累计销售超过150万张。

[25] —— 向田邦子
编剧、散文家、小说家。1929年生于日本东京。从实践女子专门学校（现实践女子大学）文学系毕业后，担任公司社长秘书，之后进入雄鸡社《电影故事》编辑部。1960年成为自由撰稿人。1962年开始撰写广播剧《森繁的高级主管课本》剧本。1964年执笔电视剧《七个孙子》的剧本。代表作有《时间到了》《寺内贯太郎一家》《冬天的运动会》《家族热》《阿哞》《宛若阿修罗》《如蛇蝎一般》等。1981年，在采访旅行途中因坠机事故身亡。

[26] —— 量身打造
指编剧预先设想出演的演员，根据演员塑造剧中人物的性格。

[27] —— 成濑巳喜男

电影导演。1905 年生于日本东京。从工手学校（现工学院大学）肄业后，加入松竹蒲田制片厂，成为道具组的一员。历经十年的积累，1930年执导首部喜剧短片《武打夫妇》。代表作有《愿妻如蔷薇》《饭》《夫妻》《兄妹》《浮云》《流浪记》《骤雨》《乱云》等。1969 年去世。

[28] —— 小津安二郎

电影导演。1903 年生于日本东京。在一所普通小学当了一年代课老师后，进入松竹蒲田制片厂。1927 年首次执导古装电影《忏悔之刃》。其后拍摄了数量众多的电影，其独特的影像世界被誉为"小津风"。代表作有《晚春》《麦秋》《茶泡饭之味》《东京物语》《早安》《小早川家之秋》《秋刀鱼之味》等。1963年去世。

[29] —— 制片厂体系

在制片厂完成电影拍摄的拍摄体系，确立于 20 世纪 30 年代。除了导演，所有工作人员和演员都与电影公司签署专属合约，每个导演都有固定的摄制班底。70 年代初期，随着电影产业的衰退，制片厂体系也逐渐消失。

[30] —— 砂田麻美

电影导演。1978 年生于日本东京。从庆应大学综合政策系毕业后，成为导演助手，陆续参与河濑直美、岩井俊二、是枝裕和等导演的电影拍摄。2011 年，首次执导以罹患癌症走向死亡的父亲为主角的纪录片《临终笔记》，作为新人导演，票房获得突破 1 亿日元的佳绩。2013 年，执导以吉卜力工作室为题材的《梦与狂想的王国》。

[31] —— 山田太一

编剧、小说家。1934 年生于日本东京。从早稻田大学教育学院毕业后，进入松竹电影公司，师从木下惠介导演。1965 年离开松竹，成为自由编剧。1968 年，为《木下惠介HOUR》栏目下的《三口之家》撰写剧本，取得极高的收视率。代表作有《男人们的旅途》《岸边的相册》《创造回忆》《早春写生册》《长不齐的苹果们》《蒂罗尔的挽歌》《山丘上的向日葵》《拼布之家》等。

[32] —— Cocco

歌手、绘本作家。1977 年生于日本冲绳县。1996 年以独立歌手身份出道。1997 年成为签约歌手，发行单曲《倒数计时》。发行四张专辑后，于 2001

年宣布中止音乐活动。其后出版了两本绘本，2006年宣布复出。2012年，主演电影《琴子》。2016年3月，出演岩井俊二执导的《瑞普·凡·温克尔的新娘》。2013年，随笔集《东京之梦》由三岛社出版。

[33] —— 《所想的事》

Cocco著，2007年由每日新闻社出版。

[34] —— 业田良家

漫画家。1958年生于日本福冈县，肄业于西南学院大学法学系。1983年参加千叶彻弥奖评选时，获得编辑的青睐，第二年出版首部四格漫画作品《业田君》。代表作有《自虐的诗》《业田哲学堂：空气人偶》《机械装置的爱》等。

[35] —— 《业田哲学堂：空气人偶》

业田良家著，1999年由小学馆出版。

[36] —— 裴斗娜

演员。1979年生于韩国首尔市。自汉阳大学电影戏剧系肄业后，成为模特、艺人。1999年，出演第一部电影《午夜冤灵》。代表作有《绑架门口狗》《我要复仇》《琳达琳达琳达》《汉江怪物》《空气人偶》《云图》《道熙呀》《木星上行》等。

[37] —— 奉俊昊

电影导演。1969年生于韩国大邱市，毕业于延世大学社会系。1995年拍摄16毫米独立短片《白色人》。代表作有《绑架门口狗》《杀人回忆》《汉江怪物》《母亲》《雪国列车》等。是韩国"386世代"中的一员。

[38] —— 万屋锦之介

演员。1932年生于日本京都。出身歌舞伎世家，父亲是吉右卫门剧团中地位最高的女形演员。1953年结束歌舞伎的毕业公演后，投身于电影行业。与美空云雀合作多部作品，之后出演《笛吹童子》，一举成名。代表作有《里见八云传》系列、《武士道残酷物语》、《丹下左膳》、《风林火山》、《新选组》、《柳生一族的阴谋》、《幕后推手梅安》、《千利休：本觉坊遗书》等。1972年前后开始涉足舞台剧和电视领域。1997年去世。

[39] —— 胜新太郎

演员。1931年生于日本千叶县，在东京长大。23岁与大映京都制片厂签约。1954年首次在《花的白虎队》中出演。1967年成立胜制片公司，开始独立制作电影。代表作有《座头市》系列、《恶名》系列、《军中黑道》系列、《忠臣藏》、《无法松的一生》、《人斩》、《迷走的地图》、《帝都物语》等。在电视剧、舞台剧等领域也相当活跃。1997年去世。

[40] —— 李屏宾
摄影师。1954年生于中国台湾。1977年进入中央电影公司。1985年，担任侯孝贤执导的影片《童年往事》的摄影师，之后多次与侯孝贤合作。近年担任《春之雪》《空气人偶》《挪威的森林》等多部日本电影的摄影工作。代表作有《恋恋风尘》《戏梦人生》《海上花》《夏天的滋味》《花样年华》《雷诺阿》《刺客聂隐娘》等。

[41] ——《童年往事》
侯孝贤于1985年执导的电影，1988年在日本上映。

[42] ——《戏梦人生》
侯孝贤于1993年执导的电影，同年在日本上映。

[43] —— 固定机位
摄像机静止不动的拍摄方法。

[44] —— 王家卫
电影导演、编剧。1958年出生于上海，5岁时移居香港。从香港理工大学平面设计专业毕业后，参与电视剧的拍摄，开始撰写剧本。1988年，自编自导第一部电影《旺角卡门》。代表作有《阿飞正传》《重庆森林》《堕落天使》《春光乍泄》《花样年华》《2046》《蓝莓之夜》《一代宗师》等。

[45] ——《花样年华》
王家卫于2000年执导的电影，2001年在日本上映。

[46] —— 滤镜处理
使用调节色温的滤镜，补偿色调或制造朦胧效果等。

[47] —— 样片
电影专业用语，指拍摄后没有经过任何剪辑的素材。

[48] ——《女巫布莱尔》
由丹尼尔·麦里克和艾德亚多·桑奇兹于1999年执导的美国电影，同年在日本上映。

[49] —— 吉野弘
诗人。1926年生于日本山形县。从酒田商业学校毕业后，进入帝国石油公司。战后因患肺结核进行疗养，其间开始创作诗歌。1952年向《诗学》投稿。1953年开始在《椊》杂志上连载。1957年自费出版诗集《消

息》。代表作有诗集《十瓦特的太阳》《沐浴阳光》《梦烧》《生命》《为了二人的和睦》，随笔集《日本的爱情诗》《诗的箴言——诗与语言的通道》等。2014年去世。

[50] ——《生命》
吉野弘所作的诗歌，收录于角川春树事务所于1999年出版的《吉野弘诗集》中。

[51] ——《当我年幼时：谷川俊太郎篇》
NHK数字卫星高清频道的一档人物纪录片栏目，由是枝裕和执导其中的第九集，于2007年3月21日播出。

[52] —— 荒木经惟
摄影家。1940年生于日本东京。从千叶大学工学院毕业后，进入电通公司担任广告摄影师。1964年，摄影集《阿幸》获第一届太阳奖。1972年成为自由职业者。代表作有《多愁之旅》、《爱猫奇洛》、《多愁之旅·冬之旅》、《旅行的少女》、《写真狂人大日记》、《色情狂》、《日本人的脸》系列等。

[53] —— 埃里克·侯麦
电影导演。1920年生于法国巴黎。

大学时就读文学系，并取得教师资格证，当过老师。1951年，向安德烈·巴赞创办的杂志《电影手册》投稿，其后担任6年主编。1959年，执导个人首部剧情长片《狮子星座》。代表作有《沙滩上的宝莲》《春天的故事》《人约巴黎》《男神与女神的罗曼史》等。2010年去世。

[54] —— 克林特·伊斯特伍德
演员、电影导演。1930年生于美国加利福尼亚州。1959年出演CBS的西部片《皮鞭》，一跃成为明星。出演的代表作有《荒野大镖客》、《黄昏双镖客》、《肮脏的哈里》系列，自导自演的代表作有《不可饶恕》《廊桥遗梦》《百万美元宝贝》《老爷车》，导演代表作有《父辈的旗帜》《硫磺岛的来信》《美国狙击手》等。

[55] —— 杨德昌
电影导演。1947年生于上海，2岁时移居台北。1981年，担任《1905年的冬天》的编剧和制片人助理。第二年，首次拍摄四段式影片《光阴的故事》。代表作有《恐怖分子》《牯岭街少年杀人事件》《独立时代》《青梅竹马》《一一》等。与侯孝贤同为台湾电影新浪潮的代表人物。2007年去世。

[56] ——《恐怖分子》
杨德昌于 1986 年执导的电影，1996
年在日本上映。

[57] ——《牯岭街少年杀人事件》
杨德昌于 1991 年执导的电影，1992
年在日本上映。

[58] ——《一一》
杨德昌于 2000 年执导的电影，同年
在日本上映。影片为其摘得戛纳电
影节最佳导演奖。

[59] ——《悲情城市》
侯孝贤于 1989 年执导的电影，1990
年在日本上映。

第六章

世界各大电影节巡礼

不是终点，

而是起点

世界三大电影节概述

距离处女作《幻之光》入围威尼斯电影节已有将近二十年，那是我第一次参加电影节。迄今为止，我已经参加了约一百二十次电影节，也渐渐明白了电影节对于电影和导演来说究竟意味着什么。

欧洲电影节的标杆，毫无疑问是法国的戛纳电影节，迄今为止我一共参加过五次。戛纳电影节由法国政府在一九四六年创办，每年五月（也有中断的情况）在位于蔚蓝海岸的度假胜地戛纳举行。每年，数千名电影制作人、发行商和演员聚集于此，将最新的电影推荐给世界各国的发行公司，一般称为"市场"（国际电影交易市场）。戛纳电影节的最高奖项是"金棕榈奖"，评委会奖中的最高奖项则是"评委会大奖"。

规模仅次于戛纳电影节的是德国的柏林电影节[1]。柏林电影节创办于一九五一年，每年二月举办。我的处女作《幻之光》曾入围全景单元，这也是我唯一一次参加柏林电影节。该电影节倾向于社会派作品，最高奖项是"金熊奖"，有纪录片获得该奖的先例。二〇〇二年，宫崎骏 [2] 导演的《千与千寻》[3] 曾获得金熊奖。

接下来是意大利威尼斯电影节，我仅参加过一次。威尼斯电影节创办于一九三二年，是世界上历史最悠久的电影节，在每年的八月末至九月上旬举办（也有中断的情况）。举办地不是游客密集的本岛，而在从威尼斯坐二十分钟水上巴士才能到达的高端度假地利多岛，是个悠闲而舒适的电影节。

戛纳电影节、柏林电影节和威尼斯电影节并称"世界三大电影节"。但威尼斯电影节由于交通不便，再加上长期以来有"艺术电影节"的定位，虽然在二〇〇二年开设了电影交易市场，发行商的参与也不太积极。

从另一方面说，威尼斯电影节可以看成只属于创作者的电影节，对我来说还是非常愉快的。一九九五年我参加时，电影节尚未设立交易市场，几乎没有任何商业元素，所以除了看电影，还品尝了岛上新鲜的蜜瓜火腿卷，休息日就在威尼斯乘坐凤尾船，与演员以及工作人员一起享受难得的闲适时光。威尼斯电影节拥有悠久的历史，作为世界三大电影节之一的地位是毫无疑问的，但是近些年在受关注程度和参与人数上，与戛纳和柏林相比确实要低一些。

一九五一年，黑泽明 [4] 导演凭借《罗生门》[5] 获得威尼斯电影节最高奖金狮奖，所以说起电影节，日本人往往会想到威尼斯。

但就世界范围而言，戛纳电影节依然独领风骚。这也与举办国电影产业的繁荣程度有直接的关系。欧洲的电影导演都有一个共识，电影制作完成后，下一步就是送到商业机遇最多的戛纳。尤其是在法国，主流的观点是比起威尼斯电影节的主竞赛单元，戛纳电影节"一种关注"单元的含金量更高。

电影节通常都非常重视那些由自己发掘的导演。以戛纳电影节为例，获得"金摄影机奖"（导演处女作奖）的导演的第二部作品，往往在电影节上被亲切地称为"回归之作"。这样一来，电影节不仅可以与导演建立亲密的联系，还能提高在评委中的认可度，从而形成类似"家族"的纽带。近几年，我虽然频繁参加戛纳电影节，但其实从出身来看，我是被威尼斯电影节发掘的，这种认知将一直伴随着我。

多伦多电影节毫无疑问是北美最重要的电影节。日本观众也许更熟悉蒙特利尔电影节。大概是因为蒙特利尔设有竞赛单元，获奖的日本电影也较多。然而从世界电影版图上看，多伦多电影节明显占据更重要的地位。

去年，甚至出现了部分发行商不去威尼斯，而是赶往多伦多的情况。在威尼斯电影节上受到关注的影片基本都会在多伦多上映，获得多伦多电影节"观众票选奖"的作品，又接连拿下奥斯卡金像奖。越来越多的好莱坞作品选择在多伦多举办全球首映会，所以近些年，多伦多电影节变得更加豪华盛大，观众数量仅次于戛纳和柏林。除了《距离》一片因为9·11恐怖袭击事件未能参加，我所有的作品都收到了多伦多电影节的邀请。另外在欧洲，西班牙的圣塞巴斯蒂安国际电影节 [6] 规模也相当大，还有荷兰的鹿特丹国际电影节 [7]，也是发掘有才华的新人导演的重要场所，非常充实。

政治、音乐、建筑等方面的意见同样重要

海外电影节上，对于电影节的报道工作比日本要健全得多。

比如，评委的评价并非绝对标准。经常会出现媒体（记者）的评价和评委会的评价不一致的情况，这时候评委会的决定往往会遭遇记者们的嘘声。媒体和评委拥有互相批评的精神是非常重要的。

从我自身的经历来说，在《下一站，天国》参加圣塞巴斯蒂安电影节的时候，电影放映完，收到的掌声和踏地板的声音大致一样。踏地板代替嘘声，代表着批评。这种表达意见的方式真有意思。电影正式放映前出现赞助商名字的时候，也会引发他们的不满。例如"雀巢"是一家亲以色列的企业，雀巢的标识只要一出现在屏幕上，观众就会不断地发出嘘声。

比嘘声更为严苛的是中途离席。

电影节会为发行商举办试映会，他们若是无意购买，会在电影开始放映后十五分钟内离开。由于同时有五六部电影上映，离

席之后，他们会去其他电影的试映会。戛纳电影节最初并没有将交易试映会和正式公映分开，因此在放映现场听着观众离席时椅子发出的砰砰声，对导演来说相当煎熬。兴许是出于这样的考虑，现在已经很少碰见这种情形了。

我有过这样一次经历。那是《幻之光》参加威尼斯电影节期间，发生在颁奖典礼上的一件事。当时一部法国电影正登台领奖，会场内一位与电影节无关的女子拿着写有"反对法国核试验"的横幅来到台上。我当时就想，我也反对核试验，但是这部电影的导演毫无疑问跟核试验没有关联，又不是拍摄了支持核试验的电影。

然而，会场内很多人为她起身鼓掌。这着实令我惊讶。我坐也不是，站起来拍手也不是，各种思绪在脑海中翻腾：如果此刻站在台上的是我，会想些什么呢？我没有想出答案。但作为导演，必须在那样的场合发言表明态度，我通过电影节才第一次深刻体会到这一点。

日本的电影导演大多只会说关于电影的话题。尤其是我们这一代人，若是关于电影，多少还是可以说的，但涉及政治、音乐、建筑等方面的话题，就显得捉襟见肘。因为在日本，电影只是专科学校或艺术大学的一个学科，根本没有国立的电影学校，几乎所有的电影导演都不是在大学进行专业学习，而是独自摸索着成长起来的。虽然比我小一辈的导演中，有越来越多的人在大学学习电影专业，但总体来说，有丰厚艺术涵养的人不多。当然，这种素养与拍电影的能力并不是直接画等号的，但国外还能举出几位像阿托姆·伊戈扬[8]这样能出演歌剧的导演，日本恐怕一个也没有。

以法国为例，很多电影导演都毕业于国立的电影学校，属于精英阶层或专家。例如从越南移居法国的陈英雄导演就是如此，他不仅精通法语和英语，而且对村上春树、川端康成、三岛由纪夫的认识也比我深刻。在法国，据说电影学校的入学考试比司法考试还难，而且在韩国的电影学校和美国纽约大学的电影专业学习的也都是精英，还都是富裕阶层。

或许正因如此，电影导演在那些国家具有较高的社会地位。当然能否拍出有意思的电影暂且不表。从这些人的角度来看，大概也难以理解："为什么没有接受过精英教育，甚至没有在大学里学习电影的日本导演，竟然能拍出电影来？"二〇〇五年，日本国立东京艺术大学的研究生院开设了"影像研究科电影专业"，在全世界来说是有点落后了，但情况好歹在改善。日本的电影教育今后会如何发展呢？我拭目以待。

东京电影节为何难以成为"亚洲最大的电影节"

东京电影节创办于一九八五年，遗憾的是从世界范围来看，它的地位相当低。

近几年，电影节最高执行人（二〇一二年之前都称为主席）

开始走访各国的电影节，进行调查。在此之前，东京电影节对其他国家的电影节一概不了解，电影节的体制也远远没有建立起来。

比如竞赛单元的评选缺少历史感。电影节不会将发掘的创作者介绍给全世界，并以"欢迎回归"的姿态迎接和继续培养他们，这是最让人遗憾的事情。

以前，电影节缺乏招待来自海外的导演和演员的意识。没有一个明确的主会场，来电影节的人不知道去哪儿能见到谁。涩谷的文化村有段时间设为电影节的主会场，我曾与侯孝贤导演在地下的开放式空间谈过话。下午六点左右，谈兴正浓的时候，却到了关门时间，我们只好拿着咖啡出来，在附近漫无目的地走。既然号称"亚洲最大的电影节"，就应该做好招待工作。要举行一周的话，就为来日本的导演安排好这一周的行程与饮食。对外国导演尤其是亚洲导演来说，东京物价过高，他们有时没法好好吃饭。从筱崎诚导演那儿听到过一件事，他在其他电影节上结识了一位伊朗导演，对方在受邀参加东京电影节期间，由于身上带的钱不够，只能在宾馆吃泡面，后来筱崎导演带他去浅草吃了大阪烧。类似的情况最近不知是否有改善。

若是在欧洲，每个电影节会展示各自的特色，"招待"之中也含有"导演"的意图。

例如始于一九八二年的都灵电影，三十多年来作为都灵这座城市的名片，一直受到市民的大力支持。我有幸参加过三次，在到达那儿的第一天，就会收到和停留日期一致的餐饮券，上面印着可以去吃饭的餐厅，并附有标着具体位置的地图。见我脖子上挂着入场通行证，餐厅的服务员会热情地问："您来自哪里？是日本吗？我知道黑泽明。"在电影节上不仅能品尝到美味的食物，还能与这个城市的人们交流，这真是令我惊叹。

法国的南特三大洲国际电影节也是如此。到达那儿的时候，他们便会提供相应天数的餐饮券，并告诉我："请尽情品尝街上的美食。"这样的电影节体制令人佩服。所谓的电影节不仅仅是放映电影，整个城市如果不敞开怀抱迎接电影和电影人，电影节就称不上成功。

净说饮食的话题，不免让人觉得我是个好吃之人（虽说的确如此），那说说电影节的其他魅力吧。在法国西部的港口城市拉罗谢尔举办的电影节规模不大，又属于非竞赛电影节，也没有设置电影交易市场，但自一九七三年创办以来，已经连续举办了四十多年。二〇〇六年举办了我的回顾展[9]，放映了包括电视纪录片在内的作品。我在那里整整待了一周，也趁机休了假。我记得当时整个城市都因为世界杯洋溢着激情。

当地的高中生通过电影节组委会，向我发出了采访邀请。据说他们都是在高中学习电影的学生，看了我作品的DVD，所以想采访我。无论是采访者还是摄影师和灯光师，都是高中生。虽然采访的内容是"您喜欢哪个法国导演"之类的问题，但对我来说机会难得，所以一连接了三个采访。另外，我还见到一位幼儿园老师带着大约四十个孩子，观看美国喜剧演员巴斯特·基顿的默片展映。那当然是公益性质的放映，电影节也成了电影教育的重要场合。

当然，并不是说欧洲的电影节都尽善尽美，日本的就一无是处。但从竞赛单元的评选、对参与者的照顾、与当地民众的互动以及教育作用等方面来看，东京电影节远远落后于世界其他电影节。

原因无非是日本电影只依赖国内市场。即使不出国，不举办电影节，日本电影在国内也拥有一定的市场。由于东宝、松竹、东映三大电影公司鼎足而立的时代持续了很长时间，很多人仍然保留着"不必特意去海外"的观念。与此相反，在欧洲的价值观中，电影是世界性的语言，而且仅依靠本国电影市场无法盈利，所以在欧洲，考虑全球电影市场，参加各种电影节是一项常识。

电影节并非宣传日本的场所

椎名保先生自二〇一三年起担任东京电影节的最高执行人，他在二〇一四年提出了"要打造动画作品的优势"的方向。暂且不论能否实现，如果没有明确的方向，谁都不会特意跑到东京电影节来看电影。

遗憾的是，那一年电影节打出了"请不要忘记日本是世界级电影导演辈出的国家"的口号，真是荒唐至极。来自海外的电影人看到这样的宣传语（日语下面有英文的翻译），会有什么想法呢？

一想到这里，我不止感到羞耻，简直是出离愤怒。电影节可不是宣扬日本电影的地方。

电影节是思考"何谓电影的丰富性？为此我们需要做什么？"的地方。我无意将电影神化，但思考我们能为电影做什么，与人们分享自己如一滴水般融入电影这条大河的喜悦，才是名副其实的电影节。那绝不是宣扬"电影能为日本的经济带来什么契机"的场所。这口号是在广告代理商和经济产业省的主导下推出的，所以才会出现如此厚颜无耻的行为。

另外，听说还有"东京超越戛纳、威尼斯、柏林的日子终会到来？！"的宣传口号，从目前的水准看，东京电影节超越世界三大电影节的那一天永远不会到来。铺上红毯，邀请好莱坞知名影星出席，通过这样赶时髦、毫无创意的做法吸引观众的电影节，是不可能永远持续下去的。东京是要以戛纳为目标，还是以釜山为目标，抑或以多伦多为目标，应该明确自己的方向。

在我看来，东京学习的对象不该是群星璀璨的戛纳，而应该是多伦多电影节。多伦多电影节是都市型的国际性电影节，就像前面说的，没有竞赛单元。主旨是在为期两周的假期中，让热爱电影的加拿大人和美国人齐聚一堂，带上电影节套票，在大银幕上欣赏从未公开上映过的各国的优秀电影作品。东京电影节为何不效仿他们？

如果将场地移到京都，就可以考虑在樱花盛开或者红叶烂漫的时节举办。让各国的电影人拥有参与的热情，才可能孕育出成功的电影节。另外，对东京是否适合举办电影节的问题，我也抱着深深的怀疑。

借鉴釜山电影节的发展经验

在亚洲的电影节中，釜山电影节[10]可谓一枝独秀。创立于一九九六年的釜山电影节，历史不及东京电影节，预算却是后者的五至六倍。从这点可以看出，不同的国家对于电影节的重视程度大不一样。

我初次来到釜山，是第三届电影节的时候，那时电影节的运作还远未成熟，甚至有观众在放映途中接电话、志愿者请求海外导演签名的情况，但是现在类似的不成熟的做法完全看不到了。电影节的规模也日益扩大，韩国国内的一线演员云集，俨然已成长为成熟的电影节。

这应该归功于从电影节创立至二〇一〇年一直担任电影节主席的金东虎[11]先生。他被誉为"釜山电影节之父"，将参加世界各国电影节的经验都运用在了实际中，正是他的努力促成了釜山电影节的成功。

韩国政府曾禁止公开放映日本电影，而在第一届电影节上，金先生便邀请了十三部日本电影参展，其中包括三部纪录片。关于创办电影节的契机，金先生说："那时，韩国电影刚刚开始得到海外电影节的邀请，我想将韩国的电影介绍给全世界更多的观众。为了明确发展战略，我决定以亚洲电影为中心，争取实现培养电影人才的目标。"事实上，他一直坚持推行 PPP 计划 [12]，旨在发掘亚洲青年导演的电影项目，帮助他们获得投资。

电影节取得的成果有目共睹。不仅片商纷纷到来，青年创作者也带着企划书参与其中，与制片人展开密切的交流。釜山电影节在创办之初，只有三十个国家和地区的一百七十四部作品参加，现在已经发展成有来自七十多个国家、超过三百部作品参与的电影盛会。

但不容否认的是，和法国一样，釜山电影节是国家级的盛会，关乎国家的威信，也有发扬国威的一面。与其说它在向世界推荐电影，不如说更强调"韩国人专为韩国人举办的电影活动"。我曾作为嘉宾出席，偶尔有感到尴尬的场面。媒体的很多问题也只停留在"喜欢什么韩国料理"、"有没有想合作的韩国演员"上。

但无论是参展的导演还是媒体记者、发行公司，都非常年轻，充满了活力。

在韩国，出生于二十世纪六十年代，在八十年代参加学生运动的一代人被称为"386 世代"，他们也是当今韩国电影的中流砥柱。比如奉俊昊导演、朴赞郁 [13] 导演都拥有留学经历，会说英语，也都在四十多岁的时候去好莱坞发展。在好莱坞取得的成就未必能跟国内相比，但这种高昂的进取意识是韩国导演身上最大的特点。

不过，釜山电影节并非一帆风顺。二〇一四年，因上映"世越号沉船事件"[14]纪录片遭到政府反对，电影节资金被削减，高层也被迫撤换。电影节陷入了能否存续的巨大危机，于是各国电影人联合起来共同支持电影节。直到现在，抗议韩国政府的声音仍在各处回响。黑泽清导演和我也从日本送去了声援电影节的讯息。

成熟的电影节、国立电影大学、高中电影课程、对艺术影院的扶持，韩国是由整个国家共同支撑着电影行业的发展。令人遗憾的是上面所说的项目，日本连一项都没有。

例如上面提到的国立电影大学，日本是唯一没有国立电影大学的发达国家，这一点令海外的电影人非常惊讶。日本并不将电影看作文化，否则小津安二郎和沟口健二[15]初期的作品不会连片段都没有保留下来。当然，电影如果变成单一的"文化"就太乏味了，将电影节变成"国家事业"也很无趣。但回顾釜山电影节这二十年的发展，会发现日本从来没有认真地将电影当作文化推广和发扬，这真令人失望。

那些细小却难忘的回忆

在电影节上，导演一般都会出席电影的试映会，回答来自媒体的提问。如果被该国发行商引进，接下来就会开展公映活动，媒体的采访也会接连不断。

电影节还有主要由电影从业人员参与的餐会和聚会，以及可自由选择参加的活动——例如观赏尼亚加拉瀑布、乘坐快艇绕黑海一周，如果有时间就能参加。不过我很少去，更多的时候是在酒店里悠闲地看书、看DVD。电影节于我来说是一段难得清闲的奢侈时光。

最近，除了非常向往的地方，我一般只去要进行电影宣传的地方。

那些没有公开上映的影片，观众通常只能在电影节上欣赏到。对他们来说，观看这种非商业性的电影是最重要的。但是从片方来看，如果未能获得该国发行公司的投资，就没有经费配备专业的口译人员，会很不方便。

参加荷兰的电影节期间发生了这样一件事。我与桥口亮辅导演一起参加了一档电视节目，一位日语专业的女大学生担任现场的翻译。我们正努力听懂她的日语，要求她再说一遍的时候，节目就结束了。所以现在，确定发行方后，作为电影商业模式的一环，我会要求请一名专业的口译陪同参加电影节。

不过，留在我记忆中的净是与电影生意无关的小插曲。

一九九八年，贾樟柯[16]导演的《小武》[17]和我的《下一站，天国》共同获得了南特三大洲电影节金热气球奖（最佳电影奖）。当时为我们颁奖的是侯孝贤导演，三人的合影成为我难以忘怀的回忆。还有一次，我碰巧在街上遇见了侯孝贤导演，他就在路旁

从左到右依次为贾樟柯导演、侯孝贤导演以及本书作者

的店里买了水果味的口香糖给我。当然，我没有吃，而是回到酒店拍了一张照片。

我受邀参加在西班牙巴塞罗那附近的小镇举办的锡切斯电影节 [18] 时，其中一个环节是去电影院观看维克多·艾里斯 [19] 导演的《蜂巢幽灵》[20]。后来，我在电影节上见到了影片的主演安娜·托伦特，非常开心。她已经二十九岁，眼眸却一如电影中乌黑明亮。我用蹩脚的英语对她说："我刚刚在电影院看了你的电影。"

对我来说，能在电影节上见到许多喜欢和尊敬的人，意义重大。

在美国科罗拉多州滑雪胜地举办的特柳赖德电影节 [21] 上，喜欢电影的人们可以在电影节期间休假，观看众多的电影。在这个电影节上，我遇见了希腊导演西奥·安哲罗普洛斯 [22]。汤姆·克鲁斯当时的别墅就建在山麓，我还在宴会上见到了哈里森·福特和乔治·卢卡斯导演。

去多伦多的时候，阿托姆·伊戈扬导演正在拍摄《何处寻真相》，我去探了班，又正好是中午，还与导演一起吃了午饭。那场景真令人怀念。

参加印度的电影节时，带给我的则是接连不断的文化冲击。《下一站，天国》上映的事宜已经敲定，电影胶片却在机场遗失了。我在印度停留了一周，最终都没有找到。电影节主席拍着我的肩膀，笑着说："This is India. (这里是印度)"一位同样参加电影节的韩国导演拿着节目表，向工作人员抗议："这里没有我的电影上映的时间。"几天之后，我看到他慌慌张张地搭出租车，一问，原来是他在酒店突然接到电影上映的消息，要他立刻去现场。现场观众看到的是与票上不同的电影，不过听说大家都没有中途离席，而是看到了最后，我着实松了口气。

绝佳的学习场所

在第一章已经提到过，我开始举办映后交流会，是因为在南特的交流会上收获了丰富的体验。

映后交流会不同于电影评论，导演能直接知道自己的电影是如何传达给观众的（或者说是否传达到了）。尤其在国外，口译人员也会在现场，所以我有时间观察提问的人。这也是磨炼导演能力的时刻。

在国内举办映后交流会始于《下一站，天国》。电影正式上映前，导演来到电影院举办映后交流会，这种形式大概是我在日本首先开创的（电影节期间或许举办过）。最初单纯只是图开心，现在虽然有不自量力的嫌疑，我还是希望交流会能成为提高观众电影鉴赏能力的场所。

对我来说，电影节同时也是绝佳的学习场所。特别是通过与其他国家导演的交谈，我渐渐明白日本所处的环境是多么特殊，因此也不断思索着外国观众究竟是如何看待自己的作品的。经过二十年的电影创作，以及在各国电影节上邂逅各种各样的人，我的想法也渐渐开始成熟。

注释

[1] —— 柏林电影节

于 1951 年开始在德国柏林举办的国际性电影节。设有主竞赛单元、全景单元、论坛单元、致敬单元、新生代单元、德国电影单元共 6 个单元。与戛纳电影节、威尼斯电影节并称为"世界三大电影节",于每年 2 月举办。

[2] —— 宫崎骏

动画导演。1941 年生于日本东京。自学习院大学政治经济系毕业后,进入东映动画公司。其后经历几家制作公司,先后参与《鲁邦三世》《阿尔卑斯山的少女》《未来少年柯南》等作品的制作。1982 年,将在《Animage》上连载的《风之谷》改编成动画,获得巨大成功。1985 年与高畑勋、铃木敏夫共同创立吉卜力工作室。代表作有《天空之城》《龙猫》《幽灵公主》《千与千寻》《悬崖上的金鱼姬》等。2013 年《起风了》上映后宣布引退。目前正在制作他的首部 3DCG 动画短片《毛毛虫波萝》。

[3] —— 《千与千寻》

宫崎骏于 2001 年执导的动画电影。该片在日本的观影人次达到 2350 万,最终取得 304 亿日元的票房,是日本电影史上票房最高的影片。获柏林电影节金熊奖、奥斯卡金像奖最佳动画长片奖。

[4] —— 黑泽明

电影导演。1910 年生于日本东京。1936 年进入 P.C.L. 电影公司(后与东宝电影公司合并),担任助理导演。1943 年执导第一部电影《姿三四郎》,因充满力量的影像表现和人道主义色彩,被誉为"世界的黑泽"。代表作有《罗生门》《生之欲》《七武士》《用心棒》《天国与地狱》《红胡子》《乱》等。1998 年去世。

[5] —— 《罗生门》

黑泽明于 1950 年执导的电影,获威尼斯电影节金狮奖、奥斯卡金像奖最佳外语片奖,是日本电影首次获得这两个奖项。

[6] —— 圣塞巴斯蒂安国际电影节

在西班牙北部城市圣塞巴斯蒂安举办的电影节,1953 年创办,于每年 9 月举行。

[7] —— 鹿特丹国际电影节

在荷兰鹿特丹举办的电影节,1972 创办,于每年 1 月下旬举行。竞赛单元只接受导演的首部长片作品或第二部作品。

[8] —— 阿托姆·伊戈扬

电影导演。1960 年生于埃及开罗，3
岁时移居加拿大。在多伦多大学学习
国际关系，1977 年拍摄第一部短片。
1984 年，以剧情长片《近亲》出道。
1994 年执导的《性感俱乐部》获戛纳
电影节费比西奖。1997 年执导的《意
外的春天》获戛纳电影节评审团大奖。
代表作有《阿拉若山》《意外的旅程》
《克洛伊》《魔鬼绳结》《人质》等。

[9] —— 回顾展

重映过去的作品。

[10] —— 釜山电影节

每年 10 月在韩国釜山举行的电影节，
1996 年创办，长年致力于发掘亚洲的
新人导演。

[11] —— 金东虎

1937 年出生于韩国江原道。60 岁之
前作为政府官员，一直负责与文化
政策相关的工作。退休后于 1996 年
创办釜山电影节，是电影节的第一
任主席。2010 年卸任后，成为电影
节的名誉主席。2013 年，以电影节
为主题制作短片《评委》。

[12] —— PPP 计划

全称为 Pusan Promotion Plan，是釜
山电影节于 1998 年推出的一项旨在
帮助和推广亚洲电影的计划，致力
于搭建青年导演、创作者和投资人、
制作方交流的场所，因此不断有优
秀作品出现。从 2011 年开始改名为
APM（亚洲项目市场）。

[13] —— 朴赞郁

电影导演。1963 年生于韩国首尔。在
西江大学哲学系就读期间成立"西
江电影团体"。1992 年执导处女作
《月亮是太阳的梦想》。2004 年，自
编自导的电影《老男孩》获戛纳电影
节评审团大奖。代表作有《共同警备
区》《我要复仇》《三更 2》《亲切的
金子》《机器人之恋》《蝙蝠》《斯托
克》《小姐》等。

[14] —— 世越号沉船事件

2014 年 4 月 16 日，载有 476 人的韩
国大型客轮"世越号"在全罗南道
珍岛郡的观梅岛海域意外进水，并
最终沉没，造成 295 人死亡，9 人失
踪，是一起严重的海难事故。

[15] —— 沟口健二

电影导演。1898 年生于日本东京。
后进入日活向岛制片厂，在 24 岁时
拍摄《爱情复苏之日》一片出道，被
誉为拍摄女性电影的大师，国内外

很多电影人都深受其影响。代表作有《祇园姐妹》《西鹤一代女》《雨月物语》《山椒大夫》等。1956 年去世。

[16] —— 贾樟柯
电影导演。1970 年生于山西省，毕业于北京电影学院。毕业作品《小武》获柏林电影节青年论坛大奖和亚洲电影促进联盟奖。代表作有《站台》《任逍遥》《世界》《三峡好人》《二十四城记》《天注定》等。

[17] —— 《小武》
贾樟柯于 1997 年执导的电影。1999 年在日本上映。获柏林电影节青年论坛大奖和亚洲电影促进联盟奖。

[18] —— 锡切斯电影节
每年 10 月在西班牙巴塞罗那附近的沿海小镇锡切斯举行的电影节，创办于 1968 年，主要以奇幻片作为评选对象。

[19] —— 维克多·艾里斯
电影导演。1940 年生于西班牙巴斯克地区。在西班牙国立电影学校学习电影制作，求学期间开始为杂志撰写影评。1969 年首次执导影片《挑战》系列的最后一部。1973 年拍摄的《蜂巢幽灵》获圣塞巴斯蒂安电

影节金贝壳奖。他作品甚少，加上 1983 年的《南方》和 1992 年的《光之梦》，只拍了三部长片。

[20] —— 《蜂巢幽灵》
维克多·艾里斯于 1973 年执导的西班牙电影，1985 年在日本上映，获圣塞巴斯蒂安电影节金贝壳奖。

[21] —— 特柳赖德电影节
每年 9 月在美国科罗拉多州特柳赖德举办的电影节，创办于 1974 年。

[22] —— 西奥·安哲罗普洛斯
电影导演。1935 年生于希腊雅典。从雅典大学法学系毕业后，开始服兵役。其后在法国巴黎索邦大学和法国电影高等学院学习。1968 年，首次执导短片《传播》。1970 年执导长片处女作《重建》。紧接着拍摄以希腊现代史为背景的"三部曲"《1936 年的岁月》《流浪艺人》和《猎人》。这三部作品为他赢得了世界范围的关注。代表作有《亚历山大大帝》《雾中风景》《尤利西斯的凝视》《永恒和一日》等。2012 年，在拍摄"二十世纪三部曲"的第三部作品（另外两部是《哭泣的草原》和《时光之尘》）时，因车祸去世。

第七章

来源于电视的电视论

2008 — 2010

《或许是那时——对电视来说，"我"是什么》2008

《都是萩本钦一的错》2010

电视最缺乏的

是电视评论

或许是那时——对电视来说，"我"是什么

2008

偶然看到佐佐木昭一郎的电视剧

我自小就爱看电视，是个名副其实的"电视小孩"。

家里有三个孩子，上面有哥哥姐姐，我是老幺。在我年幼的时候，父母就上了年纪，所以跟他们一起看了不少古装剧，基本都是类似《水户黄门》《钱形平次》《远山金四郎》等保守的电视剧，而不是像《必杀仕事人》这样的剧目。

我开始主动去看的是以《奥特曼》系列为代表的连续剧，之后还看了《谢谢》《大胆妈妈》《萝卜花》一类的家庭剧。我最喜欢"东芝周日剧场"[1]，周围的小学生很少像我一样每个星期都开心地守在电视机旁。还有以《青春是什么》和《这就是青春》为代表的校园剧，想来自己也曾是一名热血少年啊。甚至连《女校男生》《夕阳丘的总理大臣》之类的剧都看过。

中学期间，我非常喜欢"东芝周日剧场"播放的由八千草薰、小林桂树出演的电视剧，如《我家的警官大人》系列[2]和《挽

曳赛马》[3]等。这些剧集基本以北海道为背景。直到上大学，我才知道剧本都出自仓本聪[4]之手。有一点让我印象深刻，就是每集最后都会出现制作公司 HBC（北海道放送）的名字，其实我还去这个公司面试过（遗憾的是对方招聘的是营业人员，所以我谢绝了）。

另外，《我们的旅途》[5]《伤痕累累的天使》[6]《前略母亲大人》等也是我反复回味的电视剧。

经常会被问到："为什么从事电视行业呢？"我的回答是："不经意的邂逅正是电视的魅力所在。"花钱买票进入影院观看，往往难以在心里留下深刻印象，只有偶然看到、受到强烈冲击的电视节目，才能对观者的人生产生一定的影响。每个人一生中都会遇到几个这样的节目。于我来说，就是《归来的奥特曼》和佐佐木昭一郎[7]执笔的电视剧。

佐佐木昭一郎是 NHK 的电视剧导演，八十年代前期为《NHK Special》栏目制作了《川》系列节目。《四季·乌托邦》[8]《川流是小提琴之音：意大利·波河》[9]《春·音之光：斯洛伐克的河流》[10]这些剧集，无论哪一部都充满音乐性和诗意，完全超出了电视节目的范畴，现在看来依然非常新颖。它们全部使用十六毫米胶片，用手持摄影机拍摄，打光只依靠自然光。那极具颗粒感的画质和画面中流淌的细腻的音乐感，使影像整体散发出一种难以言说的魅力。

《川》系列的主人公是一位叫荣子的女士，节目讲述她前往钢琴的故乡和小提琴的故乡等地的故事。饰演荣子的中尾幸世并非专业演员，影片中荣子遇见的人同样也不是演员，他们都是生活在当地的普通人。也就是说，出演者和取景地是纪实性质的，故事架构却是虚构的，在我看来非常不可思议。节目一开始就流淌着与众不同的气氛，其中有独特的世界观，与民营电视台播放的节目有天壤之别。

佐佐木先生与其说是一名电视人，不如说是音乐人更贴切。他最初在艺能局广播文艺部担任广播剧导演，一九六六年与寺山修司[11]共同制作的广播剧《池谷彗星》[12]获得意大利奖[13]广播剧单元的金奖。一九六八年，他进入电视剧部门，第一部电视剧《母亲》[14]获得了蒙特卡洛国际电视节[15]最佳作品奖。在此之前，《四季·乌托邦》获得了意大利奖电视剧单元金奖、国际艾美奖[16]最佳作品奖等。即便罗列出这样辉煌的获奖履历，也难以展示佐佐木先生作品的魅力和创造性。

佐佐木先生的作品并不像一般的电视剧那样明快地推进剧情，在晚上九点播放，收视率基本在百分之三到百分之四。连 NHK 也把收视率看成生命，所以获奖渐少之后，他不得不开始拍摄由专业演员出演的电视剧。渐渐地，他感到自己独特的世界观正在流失，

《或许是那时——对电视来说，"我"是什么》

[播放时间] 2008 年 5 月 28 日 / TBS BS-i《报道之魂》栏目　[时长] 90 分钟　[概要] 节目聚焦从 TBS 独立后创立了 TV MAN UNION 的村木良彦和萩元晴彦两位创作者，以他们生前的专访为主线，并穿插 20 世纪 60 年代的相关纪录片影像，呈现日本电视行业黄金时期的面貌。　[获奖] ATP 优秀奖

一九九五年，他在退休的同时也离开了 NHK。之后在 TV MAN UNION 工作过，但不久也离开了。二〇一四年，他自编自导了电影《敏英——谐音的法则》[17]。

这么说或许有点夸张，对我来说，佐佐木先生的作品比当时任何一部电影都让人耳目一新，带给我巨大的震撼，我不禁感叹："电视竟能做到这种地步。"毫无疑问，佐佐木先生的作品以及下一节讲到的与村木良彦先生的相遇，都是我将目标从电影转移到电视的重要契机。"这样的作品也可以拍出来，那么我或许也能通过电视拍出什么来。"就这样，我走进了电视的世界。

不过后来我才明白，厉害的不是电视，而是佐佐木先生和村木先生。

村木良彦和他的著作《你不过是现在》

不知说想当小说家是否合适，进入大学的时候，我确实有以写文章谋生这样含糊不清的想法。然而作为"电视小孩"，我几乎没去上过课，而是埋首阅读最新出版的仓本聪、向田邦子、山田太一、市川森一的剧本合集。另外，我完全沉浸在电影的世界中，逃课打工赚来的钱基本全投资在了书和电影上。但是，在电影行业已经日薄西山、制片厂体系也荡然无存的时代，如何才能从事电影工作呢？我毫无头绪，所以想法多多少少偏向了编剧这条路。

大学四年级即将结束的时候，我在池袋文艺座看了有森也实的出道作品《星空的那一边》[18]。一部非常可爱的奇幻电影，带有大林宣彦[19]初期作品的风格，我非常喜欢。影片的导演是与我同年的小中和哉[20]，他本来是以拍摄八毫米独立电影闻名，《星空的那一边》是他的第一部商业片。大概是因为小中导演跟自己年龄相同，我有些焦急，翻阅了一下他的履历表，其中有一项写着"毕业于媒体工坊[21]"，调查之后才知道这并不是电影学校，而是一所电视学校。

于是我决心考入媒体工坊，在入学面试时，担任考官的是山田太一电视剧的制片人、TBS的大山胜美[22]先生，还有TV MAN UNION的村木良彦先生。

村木良彦曾是TBS的导演，一九六八年，他和萩元晴彦拒绝被调离制作现场。不久后，TBS爆发了持续九十天的"TBS斗争"[23]，其中包括成田事件[24]及田英夫卸任新闻主持人事件[25]。第二年，村木先生离开了TBS，在七十年代同萩元晴彦、今野勉一起创立了节目制作公司TV MAN UNION。

一九八二年，以让广播电视台和制作人员建立平等的合伙人关系为目的，创办了全日本电视节目制作公司联盟[26]。一九八四年，村木先生离开了TV MAN UNION，按照他本人的说法是为了"转型新媒体"，之后创立了媒体开发据点"Today & Tomorrow"，他出任董事长。同时他还参与了培养人才的"媒体工坊"的创立工作，直到一九八七年都担任校长一职。正是在这个时期，我遇见了村木先生。

在此之后，村木先生对电视行业的革新热情依然不减，一九九四年，他出任东京最后一个地方电视台"东京首都电视台"（MXTV）的总制作人，采用高清播出、二十四小时播放、启用摄影记者等形式，摸索各种新型的传播手段。

媒体工坊的课一周两次，学生约有三十名。每次上课的老师都不一样，由于课程拥有较强的社会教育性质，印象中大多数老师的课都没什么意思，只有山田太一和小栗康平[27]的课很有趣，但最大的收获还是看了许多村木先生制作的作品，如《你……》[28]《大众传媒 Q 第一集·我……（新宿篇）》《大众传媒 Q 第一集·我……（赤坂篇）》《我的崔姬》《酷东京》《河内·田英夫的证言》《我的火山》[29]等。这是继佐佐木昭一郎先生之后，我第二次受到冲击，不禁再次感叹："电视竟能做到这种地步！"

认识村木先生后，我阅读了《你不过是现在——追问电视的可能性》一书，对村木良彦、萩元晴彦、今野勉三人"反复探索电视可能性"的做法非常感兴趣，尤其是村木先生的理念和哲学思考，使我坚定了走电视这条路，甚至比他的作品带给我的影响更大。现在回想起来，完全没有电视制作经验的我，究竟能否理解《你不过是现在》中所写的内容呢？老实说我没有把握，但说得准确一点，我或许是被村木良彦先生的魅力吸引。他长相帅气，待人亲切，谈吐沉稳又充满智慧，绝不会恶语相向、满口粗话。但村木先生拍摄的作品以及书写的文字中始终表达着强烈的不满和透彻的思考。我第一次遇见如此有魅力的成年男性，即使是同性，也深深地被他吸引了。

精神上的父亲离世，我开始服丧

村木良彦是我走上电视行业的重要契机，但我从来没有想过要成为像他那样的电视导演。对我来说，村木先生是我精神上的父亲，就像从《下一站，天国》到《空气人偶》一直担任制片人的安田匡裕先生是我精神和经济两个层面上的父亲一样。如今，两位"父亲"都离我而去了，但每当思考问题的时候，我往往会想"村木先生会怎么看呢"、"安田先生会对我说什么呢"，以此作为参照。对我来说，他们就是这样的存在。

二〇〇八年，我制作了《或许是那时——对电视来说，"我"是什么》。

节目以村木良彦和同是 TV MAN UNION 创立者的萩元晴彦生前的采访为主，并穿插他们在六十年代制作的电视纪录片的影像。我将节目的内容转记如下：

二〇〇八年一月二十一日，制片人村木良彦离世了。村木于一九五九年加入东京广播电视台（现 TBS）。一九六六年，与萩元晴彦共同制作了纪录片《你……》。节目以街头录音的方式，向十七个行人抛出同样的问题。因为采用全新的拍摄方式，在当时引起了巨大反响，影响了其后众多电视纪录片的拍摄方式。之后，荻元制作了《日之丸》，被政府批判为"节目导向有问题"，逐步演变成涉及整个电视行业的重大事件。村木执导的《河内·田英夫的证言》同样因为强烈的反美情绪，遭到政府的批判，导致田英夫卸任新闻主播，村木本人也离开了制作现场。一九六八年前后，电视行业正处于青春时期，正好与村木和荻元的青春时代相吻合。在挥洒青春热情的同时，他们真挚地投身于电视行业。节目聚焦这两位创作者，以他们生前的采访为中心，重新追问发生在四十年前的那起成为电视行业分歧点的"事件"，由此进行一场电视因着眼"当下"而长期疏忽的自我检查。

从去年十二月，我就开始了拍摄 Cocco 的计划。村木先生于一月二十一日离开人世，我一接到消息就急忙赶往庆应医院，第二天又返回冲绳继续拍摄。

正是这个时候，TBS 报道部门的制片人秋山浩之向我发出了拍摄邀请："是枝导演，我听说你之前采访过村木先生，不知你是否有兴趣以此为基础拍摄一部片子？"最初我婉言谢绝了。虽说是采访，那也是十三年前的事情了，内容主要是面向有意加入 TV MAN UNION 的大学生。加之采访并非由我直接提问，是否适合制作成节目，我完全没有把握。

然而，从冲绳拍摄外景回来后，我重新从仓库找出采访素材一看，觉得非常有意思。或许因为面对的不是同行和评论家，萩元先生和村木先生放松了许多，用平实的话语坦率地讲述他们以制作者身份度过的青春时代。之后，我从TBS的影像图书馆翻出六十年代的节目和相关资料，回顾了一遍。节目过去基本都看过，但资料大部分是初次阅读。这些资料不仅让我明白应该如何去理解六十年代的电视，同时也预示着电视另一种可能的形式，得益于此，节目的故事结构清晰地浮现在了我眼前。

电视的可能性

村木先生曾说过一句非常深刻的话："电视的敌人是新闻报道和艺术。"在《或许是那时》中，我也对此作了介绍。

首先是关于"新闻报道"。事实上，所谓电视报道，包括电视新闻，都是以报纸和广播新闻为原型演变而来。近代新闻理论的核心——从"客观、中立、公平"的理念出发的客观主义、客观报道也被融入电视中。但村木先生认为，电视报道必须形成独属于自己的新的报道形式。在他看来，电视直播是打破新闻报道固有形式的方法之一。萩元也用"As it is"这个短语表现电视的特点，提出"如实报道"的理念。也就是说，并不是在导演这个"权威"的影响下整合、编排作品，而是让人让位于时间。这才是真正的电视，所以电视必须有反抗一切权威（包括创作者自身）的自我意识。换句话说，电视应该是更野蛮的东西。按照这样的逻辑，电视报道可能会让电视逐渐丧失"以直播为代表的独特魅力"，所以才说"电视的敌人是新闻报道"。

其次是"艺术"。电视剧是从模仿电影开始的，普遍认为"像电影"是正面评价。但村木先生不这样认为，在他看来，电视应该脱离电影，深入探索独属于自己的形式。另外，艺术是属于创作者的作品，电影是导演的创作，而电视节目应与这两者区别开来，说得准确一些，电视节目应该摆脱"作家性"。

这正是我在第一章引用过的《你不过是现在》中"电视是爵士乐"的内容。电视节目是人们在某时某地共同创造出来、随即消逝的东西，或者说，电视应该以无法刻录到一张唱片中的爵士乐为目标。

因此，《你不过是现在》一书由三位作者共同撰写，但是并没有对哪部分是谁写的做任何交代，所谓摆脱"作家性"大概也能从这里反映出来。与电视一样，这本书是共同合作的成果。从这个意义上说，它的思想可以说颇为激进。

自开始拍电影以来，我就变成了"创作者"的视角，身为"村木班的一员"，多少感到有点惭愧。我记得在拍摄完《无人知晓》之后，我在代代木八幡站的道口前等待电车通过的时候，碰巧遇上也在等待过马路的村木先生。我便向村木先生吐露了自己的心结："我现在逐渐成了一个创作者，感到自己渐渐偏离了您当初想践行的'电视节目和作品要摆脱作家性'。"村木先生没有否定我的话，只是一如往常地微笑着说："进入多频道时代之后，人们想看电视时，反而会冲着某个人的名字来选择节目，在我看来也没什么问题啊。"

村木先生绝不会说"必须怎样做"，他一般只会说"也有这种可能"。如果有人认为《你不过是现在》是"一本讲述了何谓电视的书"，他肯定会否认道："完全没有谈到什么是电视，只是写了电视有什么可能性。"也就是说，如果谈论何谓电视，那电视本身就被定义、被固化了。电视绝不会规定必须这样，必须那样。萩元和今野的想法也是如此。

《或许是那时》播出后，收获了不小的反响。当然，与其说观众关注我的节目，不如说是村木和萩元当时制作的节目产生了反响。与我第一次观看他们的作品时一样，观众纷纷表示："竟然能拍出这么有趣的电视节目。"这句话本身就隐含着"现在的电视有多无聊"的意思，相信电视从业人员也感到任重道远吧。

"电视人风骨"还留存的时代

通过节目制作，我对很多事物有了新的认识。

前面提到"电视或许可以实现另外一种形式"，但现在电视行业的生态和村木、萩元当时所处的环境相比，已经发生了巨大的变化。毫无疑问，完全模仿当时那些做法，现在看来未必就有意思。

比如我在节目中介绍的《大众传媒 Q 第一集·我……（新宿篇）》《大众传媒 Q 第一集·我……（赤坂篇）》，采取了全新的"纪录片直播"的形式。将直播车开到街上，召集普通观众参与（其中有一位节目组安排的演员），他们在一分钟内自由地讲述，站在一旁的绿魔子负责插播新闻，广告则以字幕的形式适时出现。也就是说，在同一个空间内，将当下发生的事情作为"一条时间线"呈现在一个镜头中。何谓电视的特性？村木良彦的答案是"时间和想象力并行"。说得准确点，这是一档基于"时间和想象力并行的节目才是真正的电视"这个假设制作的节目，具有实验性质。

然而，当时各家报纸却纷纷批评道"谈话内容没有意思"、"冗长又无聊"等。确实，让一个普通观众说上一分钟，内容可能缺乏戏剧效果，甚至有些无聊。但导演为何依然一意孤行？他如何看待电视这一媒介本身呢？以这样的角度去看，节目瞬间变得有趣起来。

现场直播的魅力，在于节目的时间不会因为剪辑被割裂，会完整地呈现在观众眼前，其间发生的变化一目了然。这对纪录片和电视这样的时间艺术来说非常重要，同时也有利于防止（电视台、政府、导演等所有）权利方的介入。

但是，我感到物理上的现场直播与观看者心中对直播的感受是两回事，不能混为一谈。制作方即使对节目进行了剪辑，即使不是现场直播，只要观众可以体验到观看直播的感受，那也无妨。

也就是说，重要的其实不是"现场"，而是"实况"。这个观念与其说是电视的特点，倒不如说是电影的特点……

在大众已经习惯观看录影节目的现代，最大化地发挥现场直播魅力的是体育节目和新闻节目。我不是电视台的工作人员，与这两者也没有任何关系，所以"现场直播"也许很难在我的电视论中成立。

电视诞生后的数年，一直没有进行"何谓电视"的自问自答。然而到了六十年代后半期，电视迎来诞生十周年，自我身份认知的任务摆在了电视人面前。那个时期的电视节目妙趣横生，也恰好体现了电视人探索"何谓电视"的过程。

但是，这个自问自答的过程在七十年代画上了句号。借用村木先生的话，则是"质问本质这种激进的做法，会随着企业发展日趋稳定而被排除"。也就是说，当电视台发展为一流企业时，追问自我的行为就会被舍弃。

但在自问自答结束后，村木和萩元也不畏艰难地继续制作着节目。当时，TBS电视台的内部公告栏上，张贴着写有"村木良彦做的节目是什么啊，完全搞不懂"的留言。追寻行业本质的行为早已过时，退出主流世界了。

这就是说，能制作出有趣的节目，并不是因为时代好，而是取决于能否在不断受到打击和排挤的情况下依然坚持这条路，是否拥有这份电视人的"风骨"。

他们毅然决然地在入行的时候选择电视。不管是村木先生，还是当时扛起 TBS 电视制作的鸭下信一和久世光彦 [30]，都毕业于东京大学，想进一流企业完全没问题，想进已沦为夕阳产业却强于电视的电影行业，也是轻而易举。在这样的背景下，他们毅然选择了电视，在别人看来或许是怪人（异端分子），但是在我看来，他们从一开始就清楚地知道自己要做什么。

六十年代至七十年代前半期有一个很明显的特点，就是电视行业外的人也认为"电视非常有趣"。以民营电视台的翘楚 TBS 为例，那些电视导演周围聚集着寺山修司、谷川俊太郎、武满彻 [31] 这样的戏剧创作人、诗人、音乐家。正因为有不同文化和不同行业的交流，才酝酿出了高水准的节目。我着实羡慕那时的创作环境。

村木、萩元、今野，三人三种魅力

在媒体工坊初次见到村木良彦的时候，我对他的印象是充满知性又有魅力。他当时四十五岁左右，已经是一位非常成熟的知识分子。

但真正认识到他的魅力，是在开始工作，重新阅读了《你不过是现在》之后。上大学那会儿第一次读到时，总觉得他们带着左翼思想，比如故意在建国纪念日播放借太阳旗批判"市民反动情绪"（萩元的原话）的节目，再比如历经工会斗争离开大型企业 TBS，创立 TV MAN UNION……这些在当时的我看来都带着左翼的思想。然而深入了解后，发现他们身上没有沾染半点政治色彩。他们拒绝卷入工会的斗争，指出"你们也是敌人"。为了坚持自己的理念——"做自己想做的节目"，不仅是企业的高层，甚至连抹杀自由的工会，在他们看来也是敌对的一方。我非常佩服他们这样的姿态。

我进入TV MAN UNION开始拍摄纪录片后，经常能看到村木先生，听他说话。但那时，村木先生已经不再制作电视节目，与TV MAN UNION也保持着一定的距离，平日鲜少有机会同他聊天。在《或许是那时》中第一次出现的采访，是为了制作《纪录片的定义》而做的。后来，每每有新电影开拍，我总会抽出时间听取村木先生的意见，那真是一段宝贵的时光。

与萩元晴彦先生几乎没有直接交流。我进入TV MAN UNION的时候，萩元先生正担任三得利音乐厅开馆系列活动的总制作人（一九八六年就任）和卡萨尔斯音乐厅的总制作人（一九八七年就任），逐渐将工作的重心转移到音乐方向上。我拍摄的几部纪录片，基本都是与今野勉先生合作。在不多的交集中，萩元先生给我的印象就像一位商人，说话滴水不漏，旁人难以分辨他话中的真伪。或许他天生就是做制片人的料，热衷并擅长介绍人与人相识。

不过，面试我的面试官就是萩元先生。在最后一轮面试时，我与一位面试官争论起来，萩元先生却对我的观点表示了认同："不，他说的不是这个意思，而是更接近本质的电视论。"之后，偶尔在走廊与他擦身而过，他都鼓励我："是枝君，那个企划书非常棒。"这就是我与萩元先生间仅有的交往。

说起今野勉先生,我和他在二〇一二年二月举办的"座·高圆寺纪录片节"[32]上曾进行过对谈。对谈过程中有一件事令我万分惊讶,今野先生从不拒绝别人的工作邀约,一般都会接受。

比如一九七七年播放的日本历史上第一部长达三小时的电视剧《大海苏醒》[33],就是由今野先生执导的。该剧改编自江藤淳[34]的原作,由仲代达矢和吉永小百合主演。故事以明治时期促进海军现代化的山本权兵卫半生的经历为主线,描绘了日本从开国到日俄战争期间的历史。

如果我接到这样的拍摄邀请,会予以拒绝。我并非拥护左翼思想,但也不想讲述战胜一方的"英雄人物"。今野先生却会思考:"怎么拍才能不让电视剧沦为日俄战争的英雄传奇故事?"

首先,他在故事中加入山本权兵卫去品川的花柳之地,帮助一位女子赎身,并娶她为妻的故事。另外还加入了广濑武夫这位历史上真实存在的人物,他以海军留学生的身份前往俄罗斯,并与子爵的千金相爱。在今野先生的手中,原先的故事变成了讲述这两位女子的故事。之后,今野先生还将三个小时的电视剧剪辑成了四十五分钟的版本,两位女子成为故事的主线。在我看来,这比三小时的版本更有意思。

我再次认识到,如果没有今野先生的坚韧,就无法跻身于电视行业的一线。

在第二章中也曾提到,在 TV MAN UNION 的第一年,为了表达对制作现场的不满，我没有去公司，而是独自去了位于长野县的伊那小学拍摄。在拍摄过程中，我产生了制作成节目的想法，所以在 TV MAN UNION 的员工大会上为缺席工作一事道歉："非常抱歉，请再给我一次机会。"当时一直沉默的今野先生忽然说道：

"对于想成为导演的人来说，动不动就与公司的同事争吵，还缺席工作，这样未免太脆弱了。导演是必须跟外部的工作人员和演员进行强硬交涉的职业。你这样很难成为导演。"

在这之前，即使被人批评为态度恶劣自大，我都泰然处之，但是今野先生这番话让我难以平静。虽然已过去将近三十年，当时的话仍历历在耳。这也足以证明今野先生是个坚韧之人，是真正意义上的成年人。

正因为有这些成年人存在，我才能在电视行业持之以恒地走下去。

都是萩本钦一的错

2010

七十年代推动电视解体的人们

二〇〇九年，广播伦理与节目改良组织 [35] 发布了《关于综艺节目的意见书》。意见书是"在批判的基础上"对电视台进行"声援"，内容非常深刻。

这一年，曾在《NONFIX》多次合作的富士电视台制片人小川晋一就任总编室次长。小川先生想在行业内扩大意见书的影响，首先让此次着重批判的《帅呆了!》[36] 节目组拍摄一部片子，同时让公司以外的人员以"如何看待现在的综艺节目"为主题拍摄一部作品，这个任务降临在了我身上。

基于这一点，我制作了《都是萩本钦一 [37] 的错》。

在纪录片中，我故意假定"致使电视综艺节目令人厌恶的元凶是萩本钦一"，以达到公开审判萩本先生的效果。在通过影像回顾电视综艺历史的同时，检讨意见书上罗列的"欺凌""恶俗""捉弄非专业人员"等综艺的七大罪状。另外，我邀请了两位电视人担当"辩方证人",一位是《电波少年》[38] 的原 T 部长土屋敏男[39],他曾将电视搞笑表演定义为"打破既存的事物";另一位是"滑稽导演组"[40] 的三宅惠介[41]。

那么为何是萩本钦一先生呢?在我看来,如果要谈七十年代的电视,有四个人是绕不开的,萩本先生正是其中一位。

另外,从二〇〇五年开始的十一年间,我在立命馆大学教授"影像论"课程,一共十五节课,主要以六十年代的电视节目为素材,讲解电视人在电视草创时期进行的种种尝试。作为这一工作的延续,我开始思考对电视行业来说,七十年代又具有怎样的意义。

说起七十年代电视的特征,是"跨领域"和"解体",并出现了与六十年代不同的"电视评论"。其中一位领军人物便是田原总一朗[42]。

田原先生曾于一九六四年至一九七七年在东京十二频道(现东京电视台)执导纪录片的拍摄。他有一部作品叫《青春纪实》[43],节目本身便是他的"纪录片理论"。比如片中出现一对恋人时,冒出了一句旁白,"我们让他们两个扮演成恋人",目的在于让观众明白"整部纪录片都是作假的"。

另外一位是伊丹十三[44]。现在说起伊丹先生,普遍都认为他是电影导演,但一九七一年在 TV MAN UNION 执导热门节目《心向远方》[45] 以后,他对电视的潜力和趣味性产生了浓厚的兴趣。其后不仅担任电视导演,还参与了很多节目的幕后工作。

比如,在一九七五年播出的《太平洋战争秘话"紧急密电,

祖国和平！"——来自欧洲的爱》[46]中，他与当时还在 TV MAN
UNION 的今野勉合作，制作了融合电视剧和纪录片两种类型的"纪
录片式电视剧"。

主人公是一位叫藤村义一的中佐，是历史上真实存在的人物，
曾在战时赴德国和瑞士的日本大使馆工作。战败前的几个月，他
同美国战略情报局（CIA 的前身）的负责人艾伦·杜勒斯接触，尝
试议和。这位中佐由仲代达矢扮演，节目播放到一半的时候，伊
丹十三突然以报道者的姿态出现，开始现场播报："现在藤村和杜
勒斯正在秘密会谈。"

这样一来，"伊丹十三"承担起引发纪录片和电视剧两者冲突、
进而解体的作用。同时，伊丹先生也明显地将自己的电视论和电
视理念投射在了影像中。

在电视剧方面，推动"解体"的是久世光彦导演。

《都是萩本钦一的错》中提到，以编剧桥田寿贺子[47]的作品
为中心，古典而保守的家庭剧占据了六十年代电视剧的主流。最终，
久世先生打破了这一局面。他与向田邦子一起掀起了电视剧多样
化的浪潮。

例如邀请当红偶像浅田美代子和天地真理出演，有几场戏几

《都是萩本钦一的错》

[播放时间] 2010 年 3 月 27 日 / 富士电视台 "Σ 频道" ［时长］60 分钟 ［概要］2009 年，
广播伦理与节目改良组织发布了《关于综艺节目的意见书》。受此影响，富士电视台通过了"富
士电视台综艺节目宣言"，本节目作为关联的特别节目播出。节目从个人观点出发，回顾了
综艺节目的历史，并探讨了其中的功与过。

乎全是即兴表演，虽是电视剧却全程采用直播的形式等，在某种意义上，他们简直"为所欲为"，大胆进行各种尝试。

其中，带给我极大冲击的是《姆一族》[48]的第三集。这是以创业九十年的短袜老铺"兔屋"为舞台的家庭剧。剧情一开始，由久米宏出演的人物就出现在了兔屋的客厅，以现场直播的方式再现当时的人气节目《答对了，当当!》[49]。而且电视中的人物回答起了"接下来在赤坂TBS周围奔跑的是哪两个人呢"这样的提问，最后，乡广美和清水健太郎在TBS周围跑步的影像通过实况转播的形式，与电视剧的画面一同出现。究竟能将保守的家庭剧破坏到什么程度呢? 久世先生对此毅然发起了挑战。

这大概是久世先生对电影的反抗，也表现出他对只有电视才有的表现手法的执着追求。或许也是他作为一位有批判精神的"电视人"的自尊心的体现。久世先生最厉害的地方在于，将这样的节目放在晚上九点档播放，竟能取得百分之三十的收视率，这实在让我感佩万分。

"解体"背后蕴藏的哲学思考

接下来说说第四位人物萩本钦一，正是萩本先生推动了综艺节目的"解体"。

日本综艺节目有两个主要的源头。

首先是以 TBS 推出的古装喜剧《不就是那样！三度笠》[50] 和每日放送电视台播出的长寿喜剧节目《吉本新喜剧》[51] 等为代表的综艺节目。它们通常将在音乐厅或剧场上演的节目，以直播或者录像的形式播放。

另一种综艺节目则源自美国，风格上吸收了歌舞秀的特点，多为载歌载舞的滑稽短剧。《肥皂泡假期》[52] 便是其中的典型。以上两种综艺节目长期占据着日本综艺节目的主流。

与此相对，萩本先生想尝试什么呢？他拿着话筒、摄像机，从演播室来到大街上，让普通的群众也参与进来。他的做法不仅具有划时代的意义，同时也实现了电视的非专业化——"没有才艺的人也能出现在电视上"，这是一个巨大的转折点。正是萩本先生发现"人的失败中也蕴含着趣味性"。"捉弄非专业人员"是如此，NG 大奖也是如此。萩本钦一在综艺领域开启了新的主流。这些对萩本先生的认识，主要基于在节目中担任控方证人的日本电视台的土屋先生的陈述。在开拍前，我和土屋先生讨论节目的拍法，说起萩本钦一时，他用了"破坏电视"这样的表述，节目的主题也因此清晰起来。

萩本先生为何让普通人参与到节目中呢？在我看来，他大概意识到在"短剧 55 号"组合中，自己不像搭档坂上二郎[53] 那样拥有过人的才能。二郎先生不仅会唱歌，还会演戏，而阿钦没有这方面的才能。可以说他的自卑情结以不同的形式开出了花朵。

我自知《都是萩本钦一的错》这个标题带着恶意，但从一开始就决定要用它。富士电视台方面指出，"有趣是有趣，但如果他本人不接受就不行"，我却认为一定能引起萩本先生的兴趣。

于是，我去拜访萩本先生的事务所，将写有这个标题的企划书交给对方，并坦率地说："这次节目在讲述萩本先生改变电视方向的功过时，主要聚焦在'过'上。"之后我问起，据说他一看到标题，就说"妙极了"。这恰好体现了他的人情练达，同时也可以看出，无论别人如何批判，他对自己所做的事都抱有自尊。

与萩本先生的第一次谈话持续了大约三小时。他一直想弄明白我想拍什么，又想批判什么，也问到了类似的问题："我穿什么服装比较适合？""是综艺节目，还是纪录片？""你希望收视率达到多少？"在我的感觉中，与其说他是一位导演，不如说他具有明显的制片人意识。

一共拍摄了六个多小时。萩本先生在录影后半程显露出了疲态，忍不住吐露心声："自从接了'二十四小时电视，用爱拯救地球'节目的主持人工作，表演喜剧变得越来越难了。"听到他这么说，我就思忖："这句话可以放在节目里。"

以制作这个节目为契机，我重新观看了阿钦的综艺，再度发掘和审视电视综艺的深度，以及萩本钦一在被誉为"收视率百分之百的男人"[54] 的时代留下了什么，又破坏了什么。这个过程意义非凡。

另外，萩本先生还是《明星诞生》[55] 的第一代主持人，他往往会邀请从该节目走出来的森昌子、樱田淳子、山口百惠等偶像歌手出演自己的节目，并给她们编短剧。清水贵由子也是如此。在萩本先生看来,他参与了那些艺人演艺事业的起点,就有责任"努力从不同的角度，让他们发芽开花"。他的责任心和关照他人的善意远比一般人强烈、真挚，这也是我通过制作节目体会到的。

话题转到三宅先生和土屋先生身上,两位肯定为制作过一个时代的综艺节目而感到自豪,参加本次节目,他们应该也乐在其中。搞笑表演的寿命极其短暂。这放在创作者身上也一样,很少有人能连续几十年逗乐观众。然而，这两位创作者发起了挑战,他们制作的节目经过时间的洗礼，依然经得起批评。

比如土屋先生的《电波少年》就是一个准备充分、精心制作的节目。但是如果制作方无法解读其中的用心，就会演变成胡乱对待表演嘉宾。模仿表面上的过激行为是非常危险的。选择某个方法论的背后，必须具有相应的哲学思考。电视与时代紧密相关,本该有适应当下这个时代的方法，然而现在的电视行业中，出现了大量只模仿形式、由毫无表现力的艺人参与、类似惩罚游戏的节目。这样一来，只会抹杀三宅先生和土屋先生缔造的功绩。

通过制作《或许是那时——对电视来说,"我"是什么》和《都是萩本钦一的错》，我持续开展着对电视行业的批评工作。通过电视来思考电视行业,是媒介认知能力中非常重要的组成部分。说警醒创作者未免有点狂妄自大，但是电视行业缺乏反躬自省的能力。在第一代电视人接连离世的大背景下，那些长年从事这一行的电视人应该带着批判的精神再次审视这个行业。如果每个创作者都有用电视来批判电视行业的意识，我想电视会成为更有趣的媒体。

况且，各大电视台的资料库里都保存着五十多年积累下来的素材，如果仅仅当作一种怀念历史的方式，就太可惜了。或许日本人是不善于学习历史的民族，时代剧清一色都是歌颂英雄的传奇故事。我觉得应该重播过去优秀的纪录片，更加积极地重新认识过去。

注释

[1] —— 东芝周日剧场
TBS 的电视剧栏目。从 1956 年 12 月至 2002 年间，一直由东芝独家提供赞助，其后改名为"周日剧场"。

[2] ——《我家的警官大人》系列
1975 年 5 月至 1981 年 12 月在 TBS "东芝周日剧场"播放的电视剧，由北海道电视台制作，一共 6 季。

[3] ——《挽曳赛马》
1973 年 9 月 30 日在 TBS "东芝周日剧场"播放的电视剧，由北海道电视台制作，获艺术祭优秀奖。

[4] —— 仓本聪
编剧。1934 年生于日本东京，毕业于东京大学文学系。1959 年加入日本放送，利用业余时间撰写剧本。凭借在日本电视台播放的《爸爸快起床》作为编剧出道。1963 年离开日本放送，成为自由编剧。1977 年移居富良野。1981 年，创作以富良野为舞台的家庭剧《来自北国》，大受欢迎。代表作有《前略母亲大人》《昨日别离的悲伤》《日式咖喱饭》《温柔时刻》《风之庭院》等。

[5] ——《我们的旅途》
1975 年 10 月至 1976 年 10 月在日本

电视台播放的青春剧，由 UNION 电影公司制作，共 46 集，之后还制作了 3 集特别篇。

[6] ——《伤痕累累的天使》
1974 年 10 月至 1975 年 3 月在日本电视台播放的电视剧，共 26 集。1997 年，阪本顺治将其搬上大银幕。

[7] —— 佐佐木昭一郎
电视剧导演。1936 年生于日本东京，毕业于立教大学经济系。1960 年进入 NHK 艺能局文艺部执导广播剧。1968 年调到电视剧部门，担任《银河电视小说》的助理导演。1969 年制作第一部电视剧《母亲》。代表作有《梦之岛的少女》《红花》《四季·乌托邦》和《川》三部曲等。

[8] ——《四季·乌托邦》
1980 年 1 月 12 日在 NHK 综合频道播放的电视剧，获文化厅艺术祭电视剧单元大奖、意大利奖电视剧单元金奖、国际艾美奖最佳作品奖等。

[9] ——《川流是小提琴之音：意大利·波河》
1981 年 5 月 1 日在 NHK 综合频道播放的电视剧，是《川》系列的第一部作品，获文化厅艺术祭电视剧单元大

奖、意大利奖观众票选奖。

[10] —— 《春·音之光：斯洛伐克的河流》

1984 年 3 月 25 日在 NHK 综合频道播放的电视剧，是《川》系列的第三部作品，获文化厅艺术祭电视剧单元优秀奖、艺术选奖文部大臣奖等。

[11] —— 寺山修司

诗人、编剧。1935 年生于日本青森县。1954 年考入早稻田大学教育学院，开始创作和歌。翌年因肾病综合征长期住院休学。之后戏剧处女作《被遗忘的领土》在早稻田大学大隈讲堂首演。1959 年，在谷川俊太郎的建议下开始撰写广播剧剧本。1967 年成立剧团"天井栈敷"。1974年，电影《死者田园祭》上映。被誉为"语言的炼金术师""亚文化的先驱"等，一生留下数量庞大的文艺作品。1983 年去世。

[12] —— 《池谷彗星》

1966 年 8 月 31 日在 NHK 综合频道播放的广播剧，由寺山修司编剧，获意大利奖广播剧单元金奖。

[13] —— 意大利奖

由意大利广播电视公司举办的电视节目类比赛，创办于 1948 年，被公认为全球历史最悠久、最具权威的国际电视类奖项之一。最高奖项为"意大利奖"。

[14] —— 《母亲》

1970 年 8 月 8 日在 NHK 综合频道播出的电视剧，获蒙特卡洛电视节最佳作品奖、编剧奖和艺术选奖新人奖。

[15] —— 蒙特卡洛国际电视节

由摩纳哥公国于 1961 年创办的国际性电视类奖项，世界四大电视节之一。

[16] —— 国际艾美奖

1969 年由美国电视艺术与科学学院创立，是艾美奖的一个单元，主要以美国之外的电视节目为评选对象。除了电视节目，也表彰为电视行业做出不同贡献的人。

[17] —— 《敏英——谐音的法则》

佐佐木昭一郎于 2014 年执导的电影。

[18] —— 《星空的那一边》

小中和哉于 1986 年执导的奇幻电影，改编自小林弘利的同名小说。

[19] —— 大林宣彦

电影导演。1938 年生于日本广岛县。

就读于成城大学文艺系期间，开始发表 8 毫米影像作品。1960 年退学。1964 年，与同伴一起成立实验电影制作团体"Film Independant"，获得极大关注。同期开始拍摄广告，10 年内拍了超过 2000 个广告，获得国际广告奖。1977 年，执导第一部商业电影《鬼怪屋》。代表作有以他的出生地尾道为舞台的"尾道三部曲"（《转校生》《穿越时空的少女》《寂寞的人》），以及《最接近天堂的岛屿》《幽异仲夏》《两个人》《青春摇滚》《遥远的乡愁》《明日》《残雪》《转校生：再见亲爱的》《那天以前》等。最新作品《花筐》于 2017 年上映。

[20] —— 小中和哉

电影导演。1963 年生于日本三重县。就读于成蹊高中时，出演电影研究社学长制作的电影。1981 年，执导处女作《永怀梦想》。从立教大学毕业后，进入媒体工坊学习。1986 年拍摄第一部正式上映的电影《星空的那一边》。主要拍摄《奥特曼》系列等特摄片和科幻作品。代表作有《四月怪谈》《谜之转校生》《奥特曼》《东京少女》《又见七濑》《赤赤炼恋》等。

[21] —— 媒体工坊

村木良彦创办的培养影像人才的学校。村木出任校长，1987 年卸任。

[22] —— 大山胜美

电视制片人、导演。1932 年生于日本鹿儿岛，毕业于早稻田大学法学系。1957 年加入东京广播电视台（现 TBS）。曾担任《岸边的相册》《创造记忆》《长不齐的苹果们》等作品的制片人及导演。与久世光彦一起开创了"TBS 电视剧"的全盛时期。1992 年退休后，创办 KAZUMO 公司，陆续制作了《藏》《爱在天国百里路》《长崎民谣节》等电视剧。2014 年去世。

[23] —— TBS 斗争

20 世纪 60 年代后期，TBS 电视台因节目内容和报道采访方式等发生了激烈的内部斗争，其中包含田英夫卸任新闻主持人和成田事件等一系列事件。

[24] —— 成田事件

1968 年 3 月 10 日，在采访反对建设成田机场的集会时，TBS 纪录片制作人员的采访车上，被发现载有 7 名反对同盟的农妇，手持标语，以及 3 名头戴安全帽的男子。电视台受到来自政府和自民党的压力，处置了 8 名相关人员。该事件后来成为引发 TBS 斗争的直接原因之一。

[25] —— 田英夫卸任新闻主持人事件
《JNN NEWS SCOPE》的第一代主持
人田英夫报道了越南战争的新闻，
并发出"越南还没有输"的评论。
自民党认定此报道具有反美倾向，
向 TBS 高层施压，并以不核发新的
播出许可为威胁，经营部高层极力
反抗，但受成田事件的影响，田英
夫最终离开了该节目。

[26] —— 全日本电视节目制作公司
联盟
日本主要的电视制作公司共同加盟
的行业团体。村木良彦四处奔走，
于 1984 年成立该联盟，并出任副理
事长，1992 年担任理事长，1995 年
担任顾问。

[27] —— 小栗康平
电影导演。1945 年生于日本群马县。
从早稻田大学第二文学系毕业后，
开始拍摄情色电影，之后成为自由
职业者。1981 年，执导第一部影片
《泥之河》，获莫斯科电影节银奖，
并入围奥斯卡金像奖最佳外语片奖
等，被誉为"日本的鬼才导演"。代
表作有《死之棘》《沉睡的男人》《被
埋葬的树木》《藤田嗣治》等。

[28] —— 《你……》
1966 年 11 月 20 日 在 TBS 播 放 的
纪录片，由寺山修司撰写故事大纲，
获艺术祭优秀奖。

[29] —— 《大众传媒 Q 第一集·我……
(新宿篇)》《大众传媒 Q 第一集·我……
(赤坂篇)》《我的崔姬》《酷东京》《河
内·田英夫的证言》《我的火山》
均为 1967 年 6 月至 1968 年 1 月在
TBS 播放的纪录片。

[30] —— 久世光彦
导演、电视制片人。1935 年生于日
本东京。从东京大学文学系毕业后，
进入东京广播电台。1965 年，执
导由向田邦子编剧的电视节目《七个
孙子》，这也是他执导的第一部作品。
其后相继执导《时间到了》《寺内贯
太郎一家》《姆》《姆一族》等日本
电视剧历史上的名作。1979 年离开
TBS，创立 KANOX 制作公司。代表
作有向田邦子编剧的《沉睡的酒杯》
《夜半的蔷薇》《女人的食指》《时间
又到了》《时间第三次到了》《厉害
的家伙》《明日吹起我的风》《小石
川之家》《旋律》《老师的提包》《向
田邦子的情书》《夏目家的餐桌》《东
京塔》等。另外，从 1987 年开始以
《昭和幻灯馆》为契机，发表了数量

众多的小说、评论和随笔。2006 年
去世。

[31] —— 武满彻
作曲家。1930 年生于日本东京。主
要依靠自学作曲。作品从音乐会乐曲
到电子音乐、电影配乐、舞台音乐、
流行音乐等，范围广泛。代表作有
《弦乐追思曲》《Le Son Calligraphie I》
《环》《Textures》《地平线上的多利
亚》《十一月的阶梯》《四行诗》《遥
远的呼唤》等。1996 年去世。

[32] —— 座·高圆寺纪录片节
不拘泥于电视或电影的类别，旨在
发掘纪录片的魅力和可能性的电影
节。2010 年开始举办，于每年 2 月
在"座·高圆寺"举行。

[33] ——《大海苏醒》
江藤淳著，共 5 卷，1976 年至 1983
年由文艺春秋出版，1977 年改编成
电视剧。

[34] —— 江藤淳
文艺评论家。1932 年生于日本东京。
从庆应大学文学系毕业后，进入该
校的研究生院继续深造。1958 年，
在《文艺春秋》上发表《排除奴隶思
想》一文，翌年退学。在小林秀雄
去世后，被誉为"文艺评论第一人"。
1966 年，与 3 位朋友一起创办《季刊
艺术》。从 1969 年开始，连续 9 年
为《每日新闻》撰写文艺时评。历任
东京工业大学、庆应大学等校的教
授。1998 年妻子去世，翌年自杀身
亡，时年 66 岁。

[35] —— 广播伦理与节目改良组织
由日本放送协会（NHK）和民间放
送联盟，及加盟的各家公司共同出
资组织的团体，由理事会、评议员
会、事务局三个委员会构成。

[36] ——《帅呆了！》
从 1996 年 10 月开始在富士电视台
播放的综艺节目，主要由"搞笑组
合 99"的冈村隆史与矢部浩之担任
主持人。

[37] —— 萩本钦一
搞笑艺人。1941 年生于日本东京。
从驹込高中毕业后，加入东洋剧场。
之后来到关联剧团"浅草法国座"，
在脱衣舞演出间隙表演滑稽短剧，
磨炼技艺。与同剧团的演员坂上二
郎成为知己。1966 年，两人组成
"短剧 55 号"组合，出演富士电视
台的直播节目《午间黄金秀》，人气
高涨。两人开设了数量众多的常态

节目。1971 年，荻本首次脱离组合，独自担任《明星诞生》的第一代主持人。第二年出演广播节目《一起来喊阿钦咚》，1975 年电视节目《一起来做阿钦咚》正式开播。代表作有《阿钦咚！好孩子坏孩子普通孩子》《厉害的阿钦》《阿钦的周刊钦曜日》《答对了，当当！》《全明星家族歌唱对抗赛》等。2015 年开始在驹泽大学学习佛学。

[38] —— 《电波少年》
1992 年 7 月至 2003 年 2 月在日本电视台播放的综艺系列节目，同系列还有《前进吧！电波少年》《别前进！电波少年》《长毛的电波少年——最后的圣战》。

[39] —— 土屋敏男
电视制片人。1956 年生于日本静冈县，毕业于一桥大学社会系。1979 年进入日本电视台。先后参与户外节目和综艺节目的制作。由于长年收视低迷，被调往总编室。其后再度回到制作部，制作了收视率极高的《电波少年》系列，在节目里被称为"T 制片人"或"T 部长"。

[40] —— 滑稽导演组
组合名字，以富士电视台在 1981 年至 1989 年间播放的节目《我们是滑稽族》为契机，由导演三宅惠介、佐藤义和、山县慎司、永峰明和荻野繁组成。

[41] —— 三宅惠介
电视导演。1949 年生于日本东京，毕业于庆应大学经济系。1971 年进入富士 PONY（富士电视台子公司）。1980 年调往富士电视台。1975 年参与制作综艺《一起来做阿钦咚》，开始正式制作节目。其后超过 35 年一直在综艺节目的一线工作。代表作有《狮子你好吗》《明石家圣诞老人，史上最大的圣诞礼物秀》《该放声大笑了！》《森田一义的时间，笑一笑又何妨》《秋刀鱼老师》《平成教育电视》等。

[42] —— 田原总一朗
记者、主持人。1934 年生于日本滋贺县。早稻田大学第一文学系毕业后，进入岩波电影制作公司，担任摄影助理。1964 年，进入刚成立的东京十二频道（现东京电视台），其间执导了《青春纪实》《此刻纪实》等作品。1977 年离开电视台，成为自由记者。代表作有《直播到清晨》《周日计划》《选举加油站》《激辩交火》等。

[43]——《青春纪实》
在东京十二频道播出的纪录片，东京燃气公司提供独家赞助，由田原总一朗等三人轮流负责导演。

[44]—— 伊丹十三
电影导演、演员。1933年生于日本京都。高中毕业后加入新东宝剪辑部。最初担任电影剪辑工作，之后成为商业设计师。1960年进入大映电影公司成为演员，开始使用艺名"伊丹一三"，第二年离职。1967年改名为"伊丹十三"，常出演电影和电视的重要配角。20世纪70年代加入TV MAN UNION，开始制作电视纪录片。1984年，执导第一部电影《葬礼》。执导的电影代表作有《蒲公英》《女税务员》《民暴之女》《大病人》《寂静的生活》《受监护的女人》等。1997年去世。

[45]——《心向远方》
读卖电视台制作的一档长寿的旅行节目，从1970年10月开始，至今仍在日本电视台播放。

[46]——《太平洋战争秘话"紧急密电，祖国和平！"——来自欧洲的爱》
由TV MAN UNION制作的电视纪录片，1975年12月18日播出，获电视

节目大奖优秀节目奖。

[47]—— 桥田寿贺子
编剧。1925年生于韩国首尔，在大阪长大。从日本女子大学文学系毕业后，考入早稻田大学第二文学系，后退学。1949年进入松竹电影公司担任编剧。1952年独立撰写电影剧本《乡愁》。1959年脱离公司独立。1964年，以《如果把袋子交给你》作为作家出道。同年，她编剧的电视剧《凝视着爱与死》获得极大关注。代表作有《阿信》《春日局》《冷暖人间》等。

[48]——《姆一族》
1978年5月至1979年2月在TBS播放的家庭伦理喜剧，共39集。

[49]——《答对了，当当！》
1975年10月至1986年3月在TBS播放的高人气猜谜节目。

[50]——《不就是那样！三度笠》
1962年5月至1968年3月在TBS播放的喜剧电视节目，由朝日放送制作，共309期。

[51]——《吉本新喜剧》
在每日放送播放的节目，转播吉本

新喜剧剧团的舞台喜剧表演,从 1962 年 9 月播放至今。

[52] —— 《肥皂泡假期》
1961 年 6 月至 1972 年 10 月在日本电视台播放的音乐节目,共 591 期。

[53] —— 坂上二郎
搞笑艺人、演员。1934 年生于日本鹿儿岛。1953 年,在《素人演艺会》选拔中成功获选鹿儿岛演员代表,以此为契机怀揣歌手的梦想来到东京。最初担任歌手的助理和主持人,之后加入剧团"浅草法国座",成为喜剧演员。1966 年,与萩本钦一组成组合"短剧 55 号"而走红。单飞后活跃于电视和电影领域。1974 年以歌手身份推出专辑《学校教师》,热销 30 万张。2011 年去世。

[54] —— 收视率百分之百的男人
指萩本钦一主持的三档综艺节目,TBS 的《阿钦的周刊钦曜日》和《答对了,当当!》,及富士电视台的《全明星家族歌唱对抗赛》,最高收视率分别达到 31.7%、37.6%、28.5%,加起来将近 100%。

[55] —— 《明星诞生》
1971 年 10 月至 1983 年 9 月在日本电视台播放的由观众参与的选秀节目,共 619 期。

第八章

电视剧能实现的事，以及它的局限

2010 — 2012

《后日》2010
《回我的家》2012

用数码摄像机拍摄

不妨试一试

后日
2010

被"怀疑幸福"的想法吸引

二〇一〇年,《鬼怪文豪怪谈》系列连续四晚在 NHK 高清数字卫星频道进行播出。

该系列的每一集都由电视剧部分(节目前半部分约三十五分钟)和纪实部分(约二十五分钟)构成。前半部分是由文豪的短篇小说改编而成的影像,后半部分则是由电视剧制作过程、文豪生平及作品背景组成。

导演一共有四位。落合正幸[1] 执导川端康成的《一只胳膊》,冢本晋也[2] 执导太宰治的《叶樱与魔笛》,李相日[3] 执导芥川龙之介的《鼻》,而我执导由室生犀星的《童子》和《后日的童子》两部作品改编而成的《后日》。每部作品都聚焦于原著营造的幽玄而梦幻的诡异气氛。

该系列最初的构想来自落合导演,结合筑摩书房出版的筑摩文库《文豪怪谈杰作选》系列,将日本从古至今的怪谈文学改编成电视剧。NHK 的制作人滨野高宏向我提出企划的时候，除了落合导演，另外的由谁拍摄还处在洽谈阶段。

我选择了室生犀星的《童子》和《后日的童子》两篇，前者讲述年轻的夫妇失去年幼的长子之前的故事，后者讲述死后三个月，孩子每天晚上都来到这对夫妇的身旁，是个充满悲伤和幽怨的魔幻小说。

为什么会选择这个故事呢？有几个理由。首先，室生犀星的这两部作品刚好处在日本近代小说的过渡时期。明治中期，西欧强调"个体"的近代个人主义思潮开始传入日本，小说创作从反抗国家主义转变为挖掘个体的内心。在这样的背景下，创作者对浪漫主义更深层次的探索，慢慢地转变为客观看待事实、解放天性的自然主义。夏目漱石便是其中的代表之一。基于这一点，我相信小说有了一定的进步，但同时也舍弃了外在世界的重要部分。

话说回来，如果将人死后成为幽灵定义为古典怪谈的话，那室生犀星《后日的童子》就可以定位为小说开始深入人物内心世界的探索阶段。《后日的童子》描述的并不是死去的人转变成可怖的幽灵，而是讲述留下来的人产生妄想的故事。这一点在我看来非常有意思。

第二个吸引我的理由是，这是讲述"留下来的人"的故事。

事实上，小说中也有作者自身的经历。犀星在大正十二年失去了仅十三个月大的长子豹太郎。夫妻失去挚爱的悲伤完全融入了《童子》一文中（文中婴儿的名字也叫豹太郎）。妻子怀上第二个孩子的时候，他正执笔写作《后日的童子》。

《后日的童子》描述的主要是父亲内心的矛盾情绪。长子去世后，第二个孩子出生了，本该幸福的犀星却痛苦起来："第二个孩子诞生了，若是我们疼爱这个孩子，那死去的长子会怎么想呢？"小说便顺着这个问题展开想象。"我们的幸福真的能称之为幸福吗？"产生这种疑问的室生犀星真是个值得信赖的人。

另外一个让我感到有意思的是关于牙齿的插曲。

母亲一直都在担心："孩子的牙齿怎么还没长出来？"可是孩子死后火化的时候，在遗骨中发现了牙齿，母亲就把它保存了起来。我在电视剧中保留了这个情节。初读的时候，感到一阵毛骨悚然。母亲对孩子执着的爱，以及直到孩子死了才发现"已经长牙了"的安心感，两种情绪复杂地交织在一起，变成一种难以言说的恐怖。

《后日》

[播放时间] 2010 年 8 月 26 日 / NHK 高清数字卫星频道　[时长] 49 分钟　[概要] 一对年轻的夫妇失去了挚爱的幼子，有一天，一个孩子出现在了他们的面前。这是死去孩子的灵魂，还是……夫妇开始与这个孩子交流，可是不久孩子忽然踪影全无。[演员] 加濑亮、中村由利、涉谷武尊等　[摄影] 山崎裕　[制片] 滨野高宏、熊谷喜一　[原著] 室生犀星

数字拍摄的可能性和局限

二○一○年前后，胶片摄影早已失去了往日的辉煌。接受《鬼怪文豪怪谈》企划的时候，我想通过拍摄确认数字摄影究竟能拍出什么水准的电视剧，以及是否适合拍摄虚构的世界。

怪谈尤其不适合用数字摄影来表现。因为影像的暗部难以达到完全黑暗，又很难表现出朦胧之感。我使用的器材是佳能 EOS 5D Mark II 数字摄像机，景深相对较浅，有虚化背景 [4] 的效果。如何呈现画面的暗部对怪谈而言非常重要，我对此进行了尝试。

例如拍摄夜晚的场景。日式老房子内常常会支起蚊帐，昏黄的灯光下，蚊帐上浮现出夫妻的身影。可惜的是，若不在昏暗的环境下观看，就难以感受到画面的美感。因为在明亮的室内观看，室内的灯光会投射到电视画面上。当然，我们不能告诉观众"请在光线较暗的环境中观看"，因此不免有点棘手。

由于是数字摄像机，拍摄的影像就称为"数据"，我却难以适应这个称呼。而且出现了部分数据无法打开的情况，尝试了各种方法，最后还是没能打开。此后为了保证数据能打开，每拍摄一个场景就将其拷贝下来，确认能否正常播放。这实属浪费时间。

当然，我有过几次用数字摄像机拍摄纪录片的经历，但那时我能清楚地看到录像带转动，能实实在在地感受到拍摄的过程，非常安心。从胶片拍摄到录像带，现在变成存储卡，录制影像的媒介越来越轻便，但我还未适应这样的变化。放眼世界，现在或许已经到了能否适应这种变化的关键时刻。

比如《挪威的森林》[5]的导演陈英雄，他对数字摄影的看法就相当乐观。他说："用数字摄像机拍摄的时候，很多人会步入误区，试图模拟胶片的质感，最后当然会失败。"也就是说，数字摄像有数字摄像的优点，没有必要将对胶片的怀念融入其中。"我们已经在用数字摄影式的感觉来观察现实，而非胶片式的。影片应当如实地反映这种感受。"他觉得应该有意识地拍摄出平面化而清晰的画面。当然，这个理论是否契合《挪威的森林》的世界观，我持怀疑的态度。如果要实现这个想法，影片的摄影就不该找长年坚持用胶片拍摄的李屏宾先生。

摄影机置于中央的景象

EOS 5D Mark II 操作起来非常方便，而且花费低，是一款合格的摄影器材。

举个例子，现在学生们拍的影像画质远远高于过去，或者说，至少都能拍出清晰的画面。

但是，数字摄像机非常轻。这一点有好处也有坏处。因为轻便，它不太引人注意，所以在日常生活中拍摄孩子的时候，与发出巨大声响的大型胶片摄影机相比，它能拍出更为自然的画面。它也不会给人紧张感，很适合抓拍。但是在进行移动拍摄的时候，摄像机的轻便就不自觉地反映在画面上。

我不想过多地谈论精神论，但觉得应该要有这样一个瞬间——需要三人扛运的摄影机砰的一下搁在拍摄现场中央，让人确定"这里是现场"。我想，摄影机应该有一定的重量。

另外，这样的摄影机还有一个优点，就是有利于集中大家的注意力。由于 EOS 5D Mark II 太小，大家只能通过架设的监视器观看摄影机中的影像，导致监视器盖过了摄影机和演员，吸引了现场所有人的注意力。这当然有利有弊，好处在于可以缓解部分演员的紧张感，但所有工作人员都将注意力放在表演上的优点也在逐渐消失。

拍好的画面可以即时出现在电脑屏幕或者监视器上，相信也会给摄像师和摄影师不同程度的影响。

笠松则通 [6] 担任过李相日导演的《恶人》[7] 和《不可饶恕》[8]，以及阪本顺治 [9] 导演的《不要口出狂言》[10] 和《颜》[11] 等影片的摄影工作，这位日本首屈一指的摄影师却发出这样的担忧："摄影师已渐渐失去了对摄影机的信任。"

像笠松先生这样老一辈的摄影师，一般不会让自己的助手窥看取景器的画面。刚成为电影导演的时候，我也犹豫过是否要向摄影师提出"拍得怎样，给我看看"。当时还没有监控画面可看。

现在在拍摄现场，除了摄影师，其他工作人员和演员也能通过监视器来确认影像，这已不再稀奇。在日本普及这个做法的大概是伊丹十三导演。伊丹导演有拍摄电视的经验，不是纯粹的电影人，所以他才会做这样的尝试。

胶片放映即自然的 3D 效果?!

　　用数码摄像机拍摄，往往会有这样的想法："即使有什么问题，后期也能处理。"比如画面中出现了穿帮镜头，也可以将穿帮部分删除（称为"穿帮镜头修复"）。这的确很方便，却削弱了工作人员在每个瞬间的高度注意力，那种一决胜负的感受也渐渐流失了，所以有优点的同时也存在着缺点。

　　听说，今后用数码摄像机拍到的所有景物都在焦点上，只需要在后期留下想要的部分，其余的都可以作虚化处理。这样一来，摄影师大概越来越不需要具备高水准的专业技能了。

　　从每一帧的画质来看，数字摄影确实与胶片拍摄没有多大差别。现在通过 DCP[12] 上映的电影几乎不会出现失焦画面，当然画面也不会摇晃。但是，正如笠松先生所说："胶片电影会出现模糊的画面。这表示影像产生了微小的运动，这不就是 3D 嘛。"当然，笠松先生这番话带有玩笑性质，却隐含着这样一层含义：我们能感受到胶片电影立体的纵深感，正是因为胶片有失焦的特性。相反，DCP 不会产生模糊，观看的时候为了产生 3D 效果才戴上眼镜，这不是犯傻嘛。他的想法真是发人深省。

　　数字拍摄如今依然处在过渡期，包括保存方法等，今后究竟该往何处去，目前还是未知。除了成本低，我现在还没体会到数字拍摄的优点，所以趁还能用胶片拍摄的时候，想坚持多拍几部。

再说一下《后日》。二〇一〇年，《后日》得以在东京 FILMeX 电影节 [13]、鹿特丹电影节、圣塞巴蒂安电影节上映，当时的感受是这看起来确实不像"电影作品"。并非因为由数码摄像机拍摄，问题在于声音。拍摄的时候，我没想到会在电影院上映，所以没有在声音的扩散与音域上做任何处理。在大银幕上观看时，声音的欠缺比画面更加明显。

电影的剪辑一般需要两天，声音后期 [14] 需要一周，如果换成一个小时的电视剧，剪辑和声音后期各需一天。电影需要呈现立体声效果，所以会添加各种各样的音效，目前电视剧无论是在时间成本还是在预算上，都做不到像电影那样花时间，在拍摄现场做声音的立体化处理。

在电视上播放的节目，音域是固定的，即使录到了细小的话音或脚步声，如果不做放大处理，播放的时候也会被直接剪掉。同样，声音过大也会面临这种情况。我想表现的不是声音的强弱，而是声音的远近，但由于电视音效的特点，这也变得相当艰难。今后若是优质的音响系统能普及到各家各户，或许有一天也会出现具有立体音效的电视剧。

回我的家

2012

身兼编剧、导演、剪辑的连续剧

《回我的家》于二○一二年十月至十二月播出，这部剧达成了我一直想拍电视连续剧的愿望。

坪井良多是广告制作公司的一名职员，因为关系疏离的父亲病倒，回到了阔别许久的故乡长野，却得知父亲一直在寻找一种名为"库娜"的传说中的生物，是一部带点幻想色彩的家庭剧。阿部宽继《步履不停》之后，再次扮演主角良多，他的妻子由山口智子出演，两人的女儿由蒔田彩珠饰演，江原由希子饰演良多的姐姐，吉行和子出演他的母亲。饰演父亲的是夏八木勋，父亲的友人由西田敏行饰演，宫崎葵则饰演他的女儿。演员阵容可谓相当豪华，收视率却表现平平，平均只有百分之七点九，但是我可以毫不羞愧地说，在这部电视剧中我做了想尝试的所有事情。

另外与电影一样，我独立撰写剧本，每一集都由我导演，甚至连剪辑也是自己上阵。连续剧一般由若干位编剧撰写剧本，以及多位导演执导。毫无疑问，多人分工合作自有优点。既要保证剧本质量，又要在两个月内以周播的形式完成拍摄，制作日程高度紧张，这样的做法可以确保电视剧顺利向前推进。

然而，在既定的体制下拍摄电视剧，往往会导致创作者和观众双方都失去活力。如果让大家知道"编剧、导演、剪辑可以由一人包办"，或许能改变大众对电视剧的认知。对被电视剧"哺育成人"的我来说，这是个值得挑战的尝试。

从技术层面上说，摄影组、灯光组、美术组、录音组、导演组所有的人员，我都沿用了拍摄《步履不停》时的班底。

拍电视剧一般有多部摄像机同时拍摄。其间，所有摄像机拍到的画面会传到副剪辑室，导演在那里负责监控，并实时向各位摄影师发出指示，因此有的导演几乎从不出现在摄影棚内。

拍摄电影一般只有一台摄影机，需要从不同角度拍摄同一场戏的时候，灯光和美术都需要跟随摄影机的移动做出相应变化。我在电视剧《回我的家》中尝试了一台摄像机的拍法，虽然花费的时间较长，但是每一个画面都达到了电影的质感（顺便提一句，我使用的是佳能 EOS C300 Mark II 数码摄像机）。

我不信任 CG 技术

写剧本时，我尽量不使用主语和固有名词，尝试用"那个""这个"等指示代词代替。与电影一样，台词的长度控制在三行以内。这次有多位演员是初次合作，他们都觉得这样的做法很有意思。

令人开心的是，山口智子告诉我："平时丈夫根本不看我演的电视剧，更别说发表感想了。这次他竟然对我说'真不错'。"另外，一贯喜欢即兴加台词的西田敏行却完全按照剧本表演，我不禁担心是不是对剧本不满意，但他对我说："剧本已经写得很详细了，这样就足够了。"

另外，我还做了一个大胆的尝试，就是在拍摄小精灵"库娜"的时候，完全没有借助 CG 技术。为什么呢？因为我不信任 CG 技术。合成本不存在的人，无论怎么看都不真实，本身没有的东西就是没有，这是当下我感受事物的方式。说到底，谎言总是会败露的。

例如在《猩球崛起：黎明之战》[15] 中，有一幕骑在马上的猩猩列队的画面，这一幕着实令我拍案叫绝。然而换到猩猩行走或者投掷器物的场景时，我既感受不到猩猩强健的肌肉，也感受不到它们给人的压迫感。身体的重心究竟在哪里，连好莱坞的 CG 技术也远远未能准确地表现出来。这样的话，虽然手法稚拙，倒不如让人穿上猩猩的衣服投掷重物更适合。

话虽如此，十年后若是有好莱坞的大制作找上我，我说不定也会用 CG 技术去拍约翰尼·德普……到那时，也请大家一如既往地微笑着支持我的新尝试。

拍出"不连续观看就难以理解的电视剧"

讲述主题或信息很无聊，我并不喜欢，但在《回我的家》剧本的开头，我还是写下了这么一个主题："我们回归的地方究竟是场所，还是人，抑或是记忆？"良多代替父亲开始寻找小精灵库娜，接触到了很多在东京生活时从未看到的事物，例如因大坝建设而崩溃的人际关系、因东日本大地震[16]不得不从福岛迁居长野县的一家人，他开始触及仿佛被东京遗弃的地方的现状。

拍摄《回我的家》的想法是三年前萌生的，最初的标题是"你离去之后"，讲述的是父亲离世后，主人公该如何继续生活下去的故事。

然而，二〇一一年三月，日本东部发生了严重的地震，因此剧本的主题变得更为明快，从某种意义上说，也有部分内容更趋向保守。

虽说趋于保守，但我并不赞同"把家庭放在第一位"的观念。接下来话题或许会扯远，"游走在网络上的人为什么普遍是右翼，

《回我的家》

[播出时间] 2012年10月9日至12月18日 ［出品］关西电视台、TV MAN UNION ［集数］共10集 ［概要］因为关系疏远的父亲突然病倒，碌碌无为的公司职员良多回到了故乡长野。在那里，他得知父亲一直在寻找传说中名为"库娜"的小精灵，从此，他"恰如其分的幸福人生"渐渐出现了变化…… ［演员］阿部宽、山口智子、宫崎葵、江原由希子、夏八木勋、阿部贞夫、吉行和子、西田敏行等 ［摄影］山崎裕 ［灯光］尾下荣治 ［制片］丰福阳子（关西电视台）、熊谷喜一 ［美术设计］三松圭子 ［配乐］GONTITI ［主题曲］《四叶幸运草》槙原敬之（WORDS&MUSIC）［食品造型师］饭岛奈美 ［宣传美术］森本千绘

或者是国家主义者？"思考这个问题，会发现与他人缺乏紧密联系的人容易沉溺于网络世界，"国家"这种概念轻轻松松就会将他们收编，成为他们内心唯一的价值观。在现代的日本，所谓的地区共同体已趋向崩溃，企业共同体随着终身雇用制度一起消亡，家庭内的关系也越发疏远。因此，如果没有可以代替共同体和家族的事物、场所或价值观（暂且将其称为"home"），将会有越来越多的人陷入虚幻的国家主义之中。

或许可以理解为，人们越来越难以忍受独自一人的处境。需要强调个体性，并展示与他人共同生活的丰富性……这种种思考都反映在了《回我的家》中。

在我的电影和电视剧中，我想尝试的显然是"不呈现什么，不讲述什么"，这或许是现在的电视早已缺失的价值观。现在的电视即使暂时不看也可以理解，不看画面也知道在讲什么故事。

无论过了多少年依然不知天高地厚的我，想通过这部作品拍出"不连续观看就难以理解的电视剧"。（某种意义上，我排除了那些中途开始观看电视剧的观众，在这点上，关西电视台给予了充分理解。）

但是，制片人告诉我："揭开伏笔的内容希望在一集内完成。把故事铺陈开去，用几集来揭露谜底，也没有人记得住。"若是寻找凶手的电视剧，伏笔可以埋得很长，但在一部讲述日常生活的家庭剧中——揭开微小的伏笔，这对当下忙碌的观众来说或许太困难了。

即使如此，我并不认为自己失败了，一有机会，（不甘心失败的）我还是会再次发起挑战。

电视剧播出后，我与三谷幸喜[17]导演进行了一场对谈，当时三谷导演说的一段话令我十分惊讶："是枝先生，你通过连续剧把所有想尝试的事都做了吧？我一次也没能通过连续剧实现自己想做的尝试。电影也是。"

三谷导演认为电视剧和电影是娱乐大众的，所以他往往只能在舞台剧中尝试自己想做的事情。我一说"我的确实现了自己想尝试的所有想法，收视率却很低"，他立马斥责道："那样你还想要收视率吗？"听三谷导演这么一说，心情顿时舒畅起来，内心也非常满足。

三谷导演几乎都是通过想象书写剧本，并没有调查和收集资料等过程。唯一一部通过收集资料写成的是连续三晚播放的特别节目《我家的历史》[18]。三谷导演将发生在自己母亲身上的故事放在了由柴崎幸扮演的八女政子身上，却收到了"不真实"的评价。一直以来，他都不做任何调查，无论写出多么荒诞滑稽的作品，也从未被评价为"不真实"。三谷导演悻悻地说："唯一一次写了真实的故事，却被批评为'没有这样的人'，太受打击了。我总算体会到了所谓的真实性究竟是多么没有标准的东西。"这个小故事真的太符合三谷导演的风格了。

电视要是没有著作权就好了

在我看来，电视剧和电影没有显著的区别。我在现场的执导工作完全一样。"因为是电视剧，就稍微不同一点"，"分镜分得更细一些"……类似这样的念头从未在我脑海中浮现过，我也不会要求演员夸张地去表现。

如果硬说有区别的话，倒是有一点。在拍摄电视作品的时候，无论是电视剧还是纪录片，我都带着"参与到公众中"的意识。

说起电影，我并不怎么喜欢用"表达"这个词，但电影确实是导演个人的"表达"。电影无论在什么场合都是属于导演的作品，也理应是属于导演的创作。换言之，电影属于"个人的创作"。正因为是个人的创作，我才希望成为"电影"这条大河中的一滴，才能在出生的故乡之外拥有另一片"故土"（永久居民）。毫无疑问，这片故土没有国籍、民族和语言之分，是能孕育出纯粹的"故土之爱"（爱国心）的地方。

如果电影的著作权应该归导演所有，那电视或者说广播和电视的著作权就应该取消。

所谓参与公共事务，意味着创作者与赞助商不应以利害关系或利益追求为导向，要以形成成熟多样的公共空间为目标。丰富的世界，即多样的公共空间诚然是个模糊的概念，也无法通过眼睛看到，但正因如此，大家更应该参与其中，并推动它的形成。在我看来，这才是电视广播媒体最基本的哲学，也是它们的价值所在。

赞助商不应以销售为目的，应该为了形成这种有魅力的空间而努力。只有这样，社会才能成熟，才能反过来促进销售。带着这种意识参与进来，才称得上是"放送"。虽然有肖像权等问题，但至少应该取消著作权，以此来实现节目的二次利用。应该将作品变成可以自由使用的社会和共同体的财产，如果是为了播放，不管什么情况下都有使用的权利，否则播放的意义又在哪里呢？无论是观众还是创作方都会摸不着头脑，不经意间就会遭到来自网络世界的侵袭。

说起树木希林女士，她的经纪人就是她本人，所以工作邀约的电话每每都会打到她的家里，但几乎都是留言电话，内容是这样的："如果您要咨询是否可以授权使用那些我出演的节目，就请随便使用吧，所有的都可以。"非常酷的做法，也没要求支付报酬，让对方尽情使用。她的态度让我钦佩。

广播电视行业也应该如此，像 NHK 这类电视台更应该这样做。用向观众收取的收视费制作节目播出，但观众想利用电视素材时，却又要收取高昂的费用，这样的做法是不合理的，根本无法让人感受到是"大家的 NHK"。

总之，新闻和电视剧等所有播出的节目都应成为社会的公共财产，让他人二次利用、自由使用。我希望创作者和观众都拥有这样的意识。如果大众媒体发挥积极作用，公共空间也会变得更加多元，可以为那些四散各处的人提供与他人邂逅、交流的场所，还能形成一道安全网络，防止他们受到国家主义的诱惑。

注释

[1] —— 落合正幸

电视剧导演、电影导演。1958 年生于日本东京。从日本大学艺术系毕业后，进入共同电视台，执导了知名电视剧《世界奇妙物语》中的 35 集。1997 年，执导第一部电影《寄生前夜》。陆续执导《催眠》和《雪山》后，成为自由职业者。代表作有《感染》《鬼影》《怪谈餐馆》《咒怨：终结的开始》《咒怨：完结篇》等。

[2] —— 冢本晋也

电影导演。1960 年生于日本东京。从中学时代开始拍摄 8 毫米电影。从日本大学艺术系毕业后，进入广告制作公司，四年后离职。1988 年，以《电线杆小子的冒险》获 PIA 电影节金奖。次年，以《铁男》获罗马幻想电影节金奖。代表作有《双生儿》《死亡解剖》《噩梦侦探》《琴子》《野火》等。

[3] —— 李相日

电影导演。1974 年生于日本新潟县。从神奈川大学经济系毕业后，进入日本电影学校（现日本电影大学）。毕业作品成为首部斩获 PIA 电影节包括金奖在内的四个奖项的影片。之后以《跳了线》作为导演出道。代表作有《69》《天堂失格》《扶桑花女孩》《恶人》《不可饶恕》等。

[4] —— 虚化背景

使焦点聚集在拍摄对象上、模糊周围景物的表现手法。

[5] ——《挪威的森林》

改编自村上春树同名小说的电影，由陈英雄执导，2010 年上映。

[6] —— 笠松则通

摄影师。1957 年生于日本爱知县。从日本大学艺术系毕业后，进入小川工作室。代表作有石井聪互执导的《狂雷街区》，阪本顺治执导的《大鹿村骚动记》，松冈锭司执导的《笨金鱼》《星闪闪》《东京塔》，荒户源次郎执导的《赤目四十八瀑布殉情未遂》，绪方明执导的《何时是读书天》等。

[7] ——《恶人》

改编自吉田修一的同名小说，由李相日执导，2010 年上映。

[8] ——《不可饶恕》

李相日执导的古装电影，2013 年上映，翻拍自克林特·伊斯特伍德 1992 年执导的同名电影。

[9] —— 阪本顺治
电影导演。1958 年生于日本大阪。就读于横滨国立大学教育学院期间，开始参与石井聪互、井筒和幸、川岛透的作品拍摄。大学肄业后，1989 年执导电影处女作《不要口出狂言》，由赤井英和主演。代表作有《托卡莱芙》《伤痕累累的天使》《颜》《新·无仁义战争》《KT》《亡国神盾舰》《魂生》《变色龙》《最后的座头市》《大鹿村骚动记》《北方的金丝雀》《团地》等。

[10] —— 《不要口出狂言》
阪本顺治执导的电影，1989 年在日本上映。

[11] —— 《颜》
阪本顺治于 2000 年执导的电影，故事以"松田女服务生被杀事件"中的福田和子为原型。

[12] —— DCP
即数字电影文件包，取代 35 毫米胶片成为电影的放映方式。

[13] —— 东京 FILMeX 电影节
每年秋天在东京举行的电影节，创办于 2000 年。主张"作家主义"，主要展映亚洲各国的独创作品。另外在电影节举办期间，还会与东京国立近代美术馆电影中心合作举办相关的活动。

[14] —— 声音后期
指编辑影片声音的工作，如选定背景音乐、具体音效，以及给角色配音等。

[15] —— 《猩球崛起：黎明之战》
马特·里夫斯于 2014 年执导的美国科幻电影，同年在日本上映。是 2011 年上映的《猩球崛起》的续集，也是该系列的第八部作品。

[16] —— 东日本大地震
2011 年 3 月 11 日，发生在日本东北部太平洋海域的强烈地震，随后引发海啸，余震造成巨大破坏，并引发福岛第一核电站核泄漏事故。

[17] —— 三谷幸喜
剧作家、编剧、电影导演。1961 年生于日本东京。1983 年，在就读于日本大学艺术系期间，创办了"东京阳光男孩"剧团。执导深夜剧《还是喜欢猫》，开始获得关注。其后为《古畑任三郎》《奇迹餐厅》《龙马笑传》等电视剧撰写剧本。1997 年，执导第一部电影《爆肚风云》。代表

作有《大家的家》《有顶天酒店》《魔
幻时刻》《清须会议》等。2016 年为
NHK 大河剧《真田丸》撰写剧本。

[18] ——《我家的历史》
2010 年 4 月 9 日开始连续三晚在富
士电视台播出的电视剧，是富士电
视台五十周年台庆之作。

第九章

作为料理人
2011 — 2016

《奇迹》2011

《如父如子》2013

《海街日记》2015

《比海更深》2016

曾想暂别导演工作

奇迹

2011

"新干线"给予我创作的契机

九州铁道公司通过制片人田口圣先生向我发来工作邀请："不知是否有兴趣拍摄以九州新干线全线开通为背景的作品？"那是我宣布"要暂别电影工作"不久之后的事（关于这点，我将在后面详述）。

说实话，地方合作投资或企划的作品由于受限很多，基本都以失败告终，我本想回绝，但是对方告诉我："九州铁道公司会全面支持，你可以尽情地拍摄电车。"这样一说，我不免心动。另外，我的曾祖父就出身于鹿儿岛，而且自己也成了一位父亲，所以一直想拍摄与《无人知晓》不同的讲述孩子的电影。基于这些考虑，我欣然接受了这个企划。

最终，《奇迹》成了我电影人生的转折点。这是我第一次在外部给予的创作契机下撰写原创剧本。

首先浮现在我脑海中的，是电影《伴我同行》[1] 中几个孩子走在铁轨上的场景。但是在写剧本前，我到福冈和鹿儿岛进行了取景调查 [2]，新干线的铁轨上不能行走，而且高架多，除非从远处的山上或者大楼屋顶眺望，不然根本看不到新干线。在铁轨上行走是不可能了，所以只能沿路寻找能望到新干线风貌的地方。我发现这个过程很有意思，所以将故事情节改成了"看到九州新干线列车交错的瞬间，奇迹就会发生。相信这个传言的孩子们踏上了旅程"。

成形的故事类似"少男少女邂逅"的情节。父母离婚后，男孩跟随母亲回到鹿儿岛老家，在去看新干线的途中，与来自博多的怀着心事的女孩相遇了。后来为什么换成了兄弟的故事呢？很大一部分原因是遇见了小学生搞笑组合"前田前田"的前田航基、前田旺志郎兄弟。

他们混在普通的孩子中参加了《奇迹》的试镜。我事先一无所知，但是这对兄弟的表现太引人注意了，所以第二天我就重写了剧本。也拜他们所赐，之后其他小演员的试镜遇上了难题。有的孩子表演得非常不错，可一旦与前田兄弟一起表演，节奏就会被打乱。还有的孩子被前田兄弟浓重的关西口音给带跑，不自觉也蹦出了关西方言。

我们必须找到不输给前田兄弟的孩子，还要看看他们是否有"被这个人拍也没关系"的直觉，我是否有"想拍这个孩子"的念头。在之后的试镜中，我开始重视双方的契合程度。不是演技和知名度的问题，而是投缘，这是我拍摄孩子的电影时最重要的一点。

按这个方法找到七个孩子后，我一如既往地不提供剧本，直接说明当天的场景和台词。

为了让孩子们每个瞬间都发挥出充满活力的演技，需要有能接受这种表演方式的成人演员。树木希林、桥爪功、大冢宁宁、小田切让和夏川结衣等接受了这项任务。桥爪先生甚至说："要是我的台词也由导演口述，那就轻松了。"其他演员也同样乐在其中，我着实松了口气。

开机前，树木希林女士邀请我在鹿儿岛的餐馆用餐，这是从来没有过的事情。她一边吃着天妇罗，一边打开剧本，说道："想

©2011《奇迹》制作委员会

《奇迹》

[**上映时间**]2011年6月11日　[**发行**]GAGA　[**制作**]JR东日本企划、BANDAI VISUAL、白组等　[**特别赞助**]九州客运铁道　[**影片时长**]128分钟　[**概要**]因为父母离异，上小学六年级的哥哥航一和上小学四年级的弟弟龙之介不得不分开，在鹿儿岛和福冈两地生活。兄弟两人听说看到九州新干线列车交错而过的时候，梦想就能成真，所以他们带着一家四口能再度团聚的心愿，和朋友一起开始"谋划"……　[**获奖**]圣塞巴斯蒂安国际电影节最佳剧本奖、亚太电影大奖最佳导演奖等　[**主演**]前田航基、前田旺志郎、林凌雅、永吉星之介、内田伽罗、桥本环奈、矶边莲登、小田切让、大冢宁宁、树木希林、桥爪功、夏川结衣、原田芳雄等　[**摄影**]山崎裕　[**灯光**]尾下荣治　[**美术设计**]三松圭子　[**录音**]弦卷裕　[**配乐**]Quruli

必导演您心里也清楚，这次电影的主角是孩子们，我觉得大人的镜头多了点，其实大人不需要面部特写。"正因为这番话，我坚定了拍一部"孩子的电影"的决心，才能毫无顾虑地开始拍摄，所以非常感谢希林女士。

剧本不可或缺的试镜和选景

我是个喜欢唱反调的人。如果将成长定为影片的主题之一，我就会拍摄"去的时候希望发生奇迹，最终却没能实现愿望"的故事。"为什么没有实现"暂且不谈，总之我是想拍愿望没能实现，孩子们却因此获得成长的故事。

有这个念头，是因为我将剧本大纲拿给相关人士看时，对方告诉我："父母双方发现孩子不见了，便乘坐新干线赶到熊本，一家四口重归于好，相拥在一起，这样结束不是更能打动人吗？"或许会显得目中无人，但我当时心里想的是，"这不是奇迹，同样也不是成长"。我想描述的是完全相反的世界。正是对方让我意识到了这一点，所以无论什么意见，我都愿意聆听。这绝不是讽刺。

想把剧本打造得更为出色、逼真，有两个不可或缺的因素，那便是试镜和选景[3]。

在试镜的时候，我给孩子们布置了一个课题："你们四个人想去看新干线，得花四千日元，但又不想让妈妈爸爸知道，你们会怎么做呢？"他们可以畅所欲言。这不仅仅是考验演技，还有打磨剧本的用意。比如电影中出现的"爸爸有旧版奥特曼模型，我可以把它卖了"的台词，正是来试镜的孩子想出的点子。

讨论希望发生什么奇迹时，桥本环奈说了一句"希望能恢复宽松教育"，要是我肯定想不出这样的台词。还有一句"希望死去的小狗能复活"，也是试镜中问"想实现什么愿望"时，其中几个孩子给出的回答。只有小学四年级以下的孩子才会相信逝去的生命能复活吧。这句台词我也用在了电影中。

在这个过程中，与"为何没有实现愿望"有关的"世界"一词也终于出现了。

这是长子与分隔两地生活的父亲通电话时，父亲对他说的话。长子当时并不理解其中的含义，但父亲的话深深地留在了他的心中。在新干线列车交错的瞬间，他才发现："爸爸和妈妈已经无法回到原来的样子，世界也不会像自己希望的那样。"之后，他踏上了回家的路，也把父亲的话告诉了弟弟，并让弟弟回到了父亲身边。由此，我构想出了整个故事的脉络。

最后一场戏是在开机两个星期前才敲定的。

在鹿儿岛实地选景的时候，我找到了长子一家居住的房子。(我想象着)长子站在面朝樱岛的阳台上，做出与祖父一样的舔手指的动作，以此来确定风向，于是我写下了这句台词："今天（樱岛的灰）不会积起来吧。"这句话表明长子得到了成长，接受了今后在鹿儿岛生活的事实，也能让人感觉到未来。一个我自己认可的结局。

主题在累积细节的过程中诞生

正如上面所说，电影的主题并非在开拍前就知晓，大多是在累积细节的过程中自然浮现出来的。

但是，主题和信息之类的只是我自己的看法，所以在接受采访的时候尽量不言及。作品反映了我生活的世界和我的思考，如果硬要用语言表达出来，反而会排除掉那些我还未意识到的主题与信息，我想尽量避免这一点。

相反，偶尔遇见不是从我的言语中，而是从流淌于作品的潜意识中获取主题和信息，并写成文字的记者和影评人，我会非常开心。

以《奇迹》为例，有一位记者指出："在大波斯菊田里，影片的视角唯一一次出现了变化。整部影片，摄影机几乎都随着孩子的身影移动，但是在大波斯菊田的最后一个镜头，摄影机留在花田里，静静地目送远去的孩子们，空镜中只留下孩子们的声音。唯独这个镜头，孩子们好像身处时间的外部，时间也丝毫没有向他们靠近。这一幕给我留下了深刻的印象。"

确实如此，如果将种下大波斯菊却不知所踪的人定义为"过去"，那收集起种子等待时机播种的孩子们则代表了"未来"，那一幕的时间仿佛向"过去"和"未来"两个方向延伸开去。这是主人公失去的过往，以及即将到来的未来。我希望让人意识到这一点，所以在那一幕中选择脱离同步进行的时间线。不过，我只是稍稍改变了一下镜头的位置，这位记者竟然看出了我的小心思，真是太厉害了。

另外，能得到影评家莲实重彦[4]的评价，我也欣喜万分。

我上大学的时候，曾上过莲实先生在立教大学教授的"电影表现论"，当时东京热爱电影的学生几乎都会去上这个特别课程。周防正行、黑泽清、青山真治、筱崎诚、万田邦敏[5]等都是这个课程的"毕业生"。我是早稻田的学生，又是偷偷潜入"电影表现论"课程，称不上是"莲实门生"。但是课堂内容非常有趣，是我在大学期间唯一一门从未缺席的课（虽然是其他学校的）。

一般的电影评论会觉得将孩子拍摄得生动、有活力是优点，但莲实先生不同，他在文章中写道：在游完泳回家的公交车上，少年坐在靠窗的位置，窗外的风吹动少年头发的场景；还有在熊本收留他们住宿的人家，女主人用梳子帮女孩梳头发的场景，这两个镜头将孩子的神情拍出了成年人的感觉，非常了不起。

实际上，在这两个镜头中，我想尝试把他们当作大人——并非孩子，而是背负着许多包袱的成年人进行拍摄。得到莲实先生的评论，作为导演的我真是感到万分荣幸。

需要注意的是，面对孩子时，必须抱着比对大人更多的尊重去拍摄。要将他们作为独立的个体，像拍成人演员一样拍他们。

不过，在拍摄几个没有台词的镜头时，有意识地让他们呈现真实、不刻意的感情，其实是相当有难度的。

例如长子坐在窗边的镜头。拍摄前，我告诉航基："风吹进来，吹动湿漉漉的刘海，感觉非常舒服。"航基本来也有游泳的习惯，很快就领悟了我的话。拍摄一直凝视着镜子的女孩时，她问我："这个镜头中，她会想着什么呢？"我只告诉她："故事中的母亲与她心爱的女儿分隔两地生活。"希望她能将人物的经历和自身的未来相重合，只是一概未做情感上的说明。

拍摄人物凝视前方的表情，如果不拍他注视的东西，观众就会想象镜头外的世界，从而深入人物的内心，思忖"他究竟在看什么"。因此，我认为导演在拍摄孩子的时候，最重要的一点是明白将孩子放在什么位置去拍（或许拍成年人也是如此）。

透过孩子的眼睛批判社会

除了选景和试镜，我在拍摄现场也有许多新的发现。

例如，希望"死去的狗狗能复活"的少年，在回到鹿儿岛车站的时候意识到"狗狗已经没办法回来了"，在我看来这就是成长。因此在拍摄从车站台阶往下走的镜头时，我告诉他："停下脚步，朝背包里看一看，确认狗狗没有复活，然后迈步往前走。"他却反问我："马布鲁（狗的名字）没有复活吗？""对啊，不能复活了。"

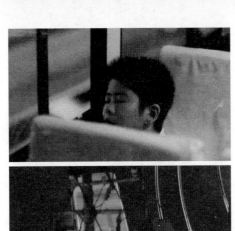

我回答他，谁知他竟对我说："哎，怎么会？拍个大团圆的结局吧。"

但仔细想一想，电影名字既然是"奇迹"，孩子们大概都相信会有什么奇迹发生吧。

于是我决定稍稍改变拍摄的方式：一直跟在两个少年身后的男孩，那时默默拉上背包的拉链，带头走下了车站的台阶。仅仅通过人物行走的顺序展现孩子内心细微的波动。这个镜头现在看来也非常喜欢。若是没有孩子的那番话，我相信不会有这一幕。

前面说到的"不做情感说明"，让有些制作方感到颇为不安。但如果我做了说明，演员会因此背上包袱，觉得必须这样表演。比如我告诉他们要表现"悲伤"，他们就会在台词中加入悲伤的情绪。无论如何，我想避免这样的情形。

尤其是航基，他非常聪明，我一说明，他就能表现出来。但他表现的并不是我期待的效果。或者说，沉默不语的他比说话的他更有魅力。所以，我把说话的任务交给了弟弟旺志郎，而凝视和思考等场景就由航基来表现。

再比如影片最后，航一（长子）说，"今天不会积起来吧。"当时，我只是对他说"原模原样模仿祖父说的话"，但没有解释这句话的意思。影片杀青后，一位观看了试映的记者说："最后一幕中，航一决定在这儿生活，我被他成长的模样感动了。"航基这才发现："是啊，最后一个镜头原来有这样的意义。"那时他才回过头对我说："导演，您真厉害。"

我在第五章写到，被外国记者问起"为何执着于拍摄死者"时，我的回答是"一直以来，日本人都有无颜面对祖先的观念"。虽然这个价值观在慢慢淡化，但死者依然占据着难以撼动的地位。我想通过观察死者，客观地批判当下成年人的世界。

对于成年人来说，孩子的存在也具有相同的意义。透过还未成为社会一员的孩子的眼睛，能达到批判我们生活的社会的效果。

在我的想象中，如果将过去、现在和未来置于一条纵轴，那死者就在这条纵轴上，他们跨越时间的长河批判当下的我们。孩子同样也存在于这条时间轴上，却是从离我们较远的水平位置批判我们。

在我的作品中，死者和孩子经常以某个重要的契机出现，或许正是因为两者承担了从外部批判当下社会的作用。

东日本大地震发生时……

《奇迹》是以九州新干线开通为背景拍摄的，但就在新干线开通的二〇一一年三月十二日的前一天，日本东北地区发生了严重的地震。开通仪式因此中止，庆祝广告也延期播放。

地震发生时，我正在东京涩谷的 LE CINÉMA 电影院观看影片《国王的演讲》[6]。影院位于六楼，我同样感受到了强烈的摇晃，但电影还是若无其事地继续放映。部分观众开始骚动起来，一大半的人都出了影院。我也出来了，但是电梯停止运行，大厅也没有窗户，所以不知道外面究竟出了什么事。这种程度的摇晃或许足以使大楼倾塌。

我想把女儿从幼儿园接回家，所以出了大楼，幸运的是还搭上了出租车，匆匆忙忙赶到家里。屋里东西倒了一地，我打开电视，每个频道都在直播海啸的情形。海啸的影像给我的冲击超过了以往看过的所有电视节目。

电视上，常规节目都被临时取消，清一色变成灾害报道。我拥有"电视导演"的头衔，但在观众如此渴求电视的时候，却由于身处外包制作公司，无法参与报道工作，只能作为观众观看。当时，我被一种莫名的危机感和焦躁感包围。

像 TV MAN UNION 这样的外包制作公司，与 NHK 合作的时候，要以名为 NHK ENTERPRISES 的制作公司为窗口开展节目制作。收到 NHK ENTERPRISES 要求"停止对灾区采访"的邮件时，我非常震惊。这相当于在告诉我们"希望全面停止在东北地区拍摄 NHK 的节目"，称得上是委婉叫停。如果 NHK 直接要求停止采访，我还可以理解，但邮件来自同为制作公司的 NHK ENTERPRISES，我着实难以认同。而且，日本所有的制作公司竟然都默认了这件事，这更让我感到焦躁不安。

于是，TELECOM STAFF 的长嶋甲兵先生、CR-NEXUS 的井上启子女士等同一代的电视导演聚在一起讨论。大家都表示，至少去看看现场的情况，无论怎样都应该拍摄。难道制作公司把所有事情都交给电视台，为了配合节电号召，一到下午四点就早早下班回家吗？每个人都抱着这样的疑问，我们便决定拜访TBS《NEWS 23》的制作人员。

当时，仅TBS一家电视台就有五个采访组，再加上各地方电视台的采访团队，加起来差不多有三百个采访组在受灾地区拍摄。所以连TBS内部的素材也没有多少播放的空间，"每天都有从全国各电视台送来的影像，我们处理这些都已经筋疲力尽了。"毫无疑问，他们已无暇顾及外部的制作公司。

日常中有着难以取代的珍贵之物

既然如此，那就没办法了。TELECOM STAFF、CR-NEXUS、TV MAN UNION三家公司组成了一个团队，由我们自己出资参与拍摄。四月一日至四月三日，我和摄影师山崎裕先生一起走访了气仙沼、陆前高田、石卷、女川等地。

但是，面对如此严峻的灾情，我无论如何也没有勇气将摄像机对准他们。那时候看到的景象，今后或许会以某种不同的形式出现在我的作品中，但是这一刻，我暂且慢慢地往前走，静静地观看，偶尔驻足闻一闻这片土地的气味，然后再回去。这是我面对地震做的第一件事。

我究竟能做什么呢？

左思右想之际，得知我去了灾区的崔洋一[7]导演给我打来电话。担任日本电影导演协会[8]理事长的崔导提出了两个设想：每个导演先分别拍摄一部以地震为主题的电影，再将自己的电影带到灾区放映。据说后者有阪本顺治、李相日、西川美和等导演参与。

我也想助崔导一臂之力，但对《奇迹》的上映仍有疑虑。地震发生后，观看试映的记者提出的问题基本都围绕地震。电影讲述的是一个孩子希望和家人重新一起生活，而盼望樱岛火山喷发、发生天灾的故事。若是这样上映，难免让人以为创作者也是这样想的。

然而临近上映，竟然有人对我说"希望这是一部明朗的电影"，我非常惊讶。比如图书馆被洪水冲走，号召大家捐书时，大家应该不会只捐明朗的书籍吧，但是电影却被要求是明朗的电影。如果《奇迹》在这样的情形下上映，恐怕有人会说"请用人与人之间的牵绊和孩子的明朗治愈我们"。

思来想去，最终决定五月在仙台和福岛举办慈善形式的放映会，票价一千三百日元，把票房收入全部捐给"长腿育英会"。这是我为地震做的第二件事。两天的放映会，我都在现场与观众一同观看电影。映后交流时，我默默地观察着观众的表情，感到"大家将这部电影看作孩子成长的故事"，因此稍稍放宽了心。

在福岛，当放映会结束时，一位担任福岛县立相马高中广播台顾问的老师向我发出邀请。他说，广播台的三个孩子正在拍摄纪录片，为"NHK杯全国高中广播竞赛"而努力，想请我送上一些鼓励的话语。我对他说："这样的话，我直接去见见他们吧。"

就这样，我来到了相马高中。我虽然决定不拍摄有关地震的影片，但或许可以给那些正在拍摄的孩子们信心。这是我为地震做的第三件事。孩子们拍摄的节目名为《从东北出发：面向未来的学校》[9]，于二〇一四年在 NHK 教育频道播放。

东日本大地震已过去五年，但那时发生的事情仍鲜活地印刻在我身上。当时，很多创作者都怀着不安和焦虑：自己的作品有价值吗？此刻拍摄什么样的作品才是正确的？在经历了各自的思考和探索之后，大家再次回归到日常的创作中。

我也是如此，在日复一日的日常生活中，切实地体会到世界的触感改变了，而且这种改变多多少少也反映在了我的作品中。但我想描述的东西，在地震前和地震后并没有明显的变化。

如果说我的电影中有共通的东西，那就是无法取代的珍贵之物不在日常生活之外，而是蕴藏在日常的细枝末节里。在《奇迹》中，这一点或许以相当纯粹的形式呈现了出来。

如父如子

2013

维系亲子关系的是"血缘"还是"时间"

由福山雅治主演的电影《如父如子》，诞生的契机正是来源于福山本人。

有一天，福山雅治通过我们共同的朋友——一位电影行业的人士向我发出了见面的邀请："不以拍摄为前提，可以见面之后再考虑，我想以这样轻松的心态跟导演您见个面。"在高兴的同时，老实说我也很惊讶："他竟然也看我拍摄的东西。"

见面之后，福山给我的印象是"非常谦虚和聪明"、"是一位能让在场的人感觉愉快的专业艺人"。他谈吐真诚，表达真挚，也让我感受到了他希望进一步成长的"野心"。

福山告诉我，"不一定要拍摄由福山雅治主演的电影"，他希望"能成为作家性较强的导演的电影世界中的一员"，并补充说："不是主演也没关系，是当然也无妨。"他这番话在我听来充满魅力。我能够拍出与以往不同的电影吗？这份不安也在认识演员"福山雅治"之后转变成了期待。于是，我开始执笔写故事的大纲。这就是《如父如子》最初的缘起。

我写了四个故事，分别讲述心脏外科医生的故事、画家的故事、时代剧，以及《如父如子》的原型。在跟福山来来回回的交流中，新的想法也不断涌现。机会难得，我想拍出福山从未展现过的一面。各方衡量之后，我觉得让他扮演父亲的角色可行性较高。福山一开始担心自己身上没有父亲的感觉，我告诉他："这是讲述一个父亲如何一点点获得父性的故事，一开始看起来不像其实更好。"听了我的话，他才安下心来。

故事围绕一起"抱错婴儿事件"展开。

两个家庭在幼子出生后，在医院里双双抱错了孩子。六年后，他们发现了这个事实。其中一户家庭的父亲毕业于一流大学，在大型建筑公司任职，与妻子和孩子生活在东京市中心的高级公寓，是毫无疑问的人生赢家，所以他身上也带着社会精英特有的令人反感的傲慢。另一家的父亲在小地方经营着一家小小的电器店，妻子是临时工，除了抱错的六岁的儿子，还有两个孩子，是个与富裕无缘的人，不过一家人生活得其乐融融。福山雅治饰演前者。

选择抱错婴儿作为故事的主题，很大程度上跟我成为父亲有关。五年来，看着女儿一点点地长大，我不禁开始思索，维系亲子关系的究竟是"血缘"还是"时间"。

电影的参考书《扭曲的羁绊——抱错婴儿事件的十七年》[10]中描述的情节，给了我极大的刺激。昭和四十年前后，日本各地发生了多起抱错婴儿的事件。据调查，很多家庭在面对这个问题时，几乎都会选择"血缘"，互相交换孩子。但是，《扭曲的羁绊》中写到了冲绳的两个家庭，他们没有选择把孩子换回来。因此将故事背景设定在当下的《如父如子》，如果能向观众传达不要禁锢于"血缘"的想法，才有讲述的意义。

通过观察演员，将人物立体化

电影《如父如子》主题的选择方式与以前并无二致，但是与我之前的作品相比，娱乐色彩更浓厚。一直以来，我都将重心放在对每个镜头的描写上，只要有趣，即使跟推进情节无关，我也会保留下来。但是拍摄《如父如子》时，我先设定整个故事的轮廓，主人公的性格在影片开头就交代清楚，然后将压力一点点地施加到他身上，看他如何应对困难。总体来说，是相当正统的戏剧拍法，所有的镜头都为故事服务，或者说都为推动情节服务。这也是我尽量避免使用纪实拍摄手法的原因。

另外，对于到底是"血缘"还是"时间"这个问题，我给影片中几个主要人物准备了不同的关键台词。例如，福山雅治饰演的野野宫良多说的"果然还是这样啊"，以及利利·弗兰克饰演的斋木雄大的"是时间……孩子就是时间"，还有良多的继母说的"夫妇在一起久了，也会变得越来越像"。

良多教亲生儿子拿筷子的正确方法，还买来露营的用具，努力想扮演一个理想的父亲。与此同时，当对方家庭的父亲对金钱表示轻蔑的时候，他不自觉就说出："我为什么要被一个卖电器的人说三道四。"他身上带着某种迟钝。我想刻画这种具有双重性的立体人物，努力将自己身上最讨厌的部分、不想向外人展示的部分慢慢挖掘出来。同时我也在观察福山雅治的性格，揣摩"如果是他，这个时候会说什么"。如此这般不断将人物立体化。记忆、观察、想象力这三点对创作来说有举足轻重的意义，在《如父如子》中，观察占了较大的比重。

　　事实上有些镜头拍摄了，却没有加进去。比如，雄大对来接离家出走的孩子的良多说："养育孩子不是当投手，而是当捕手。"

©2013 富士电视台、AMUSE、GAGA

《如父如子》
[**上映时间**] 2013 年 9 月 28 日　[**发行**] GAGA　[**制作**] 富士电视台、AMUSE、GAGA　[**影片时长**] 121 分钟　[**概要**] 一天，精英人士良多得知自己精心养育六载的儿子出生时在医院抱错了。是选择血缘，还是选择一起经历的时间？两个家庭在纠结和痛苦中做了一个决定……　[**获奖**] 戛纳电影节评审团大奖、圣塞巴斯蒂安国际电影节观众选择奖、温哥华国际电影节观众选择奖等　[**主演**] 福山雅治、尾野真千子、真木阳子、利利·弗兰克、二宫庆多、黄升炫、风吹淳、树木希林、夏八木勋等　[**摄影**] 泷本干也　[**灯光**] 藤井稔恭　[**美术设计**] 三松圭子 [**服装**] 黑泽和子

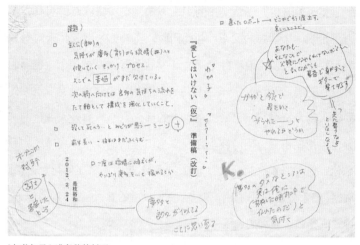

《如父如子》准备稿的封面

福山饰演的良多属于按照自己喜好投球的投手，但利利·弗兰克饰演的雄大是不管孩子投出什么球，都会接住的捕手。这句台词刻画了两种不同类型的父亲。那最后为什么要剪掉呢？因为我担心这样一来，雄大的形象过于帅气了。

令人意外的是，福山雅治本人却是捕手型的演员。他非常善于与人沟通，在演戏的时候，会灵活地根据对手的表演来调整自己的表演。与他见面之前，我还担心他的表演方式比自己想要的更直白，所以觉得这一点很有帮助，这样的福山也令我惊喜。

另外，或许是从事音乐工作的缘故，福山对声音的感受非常敏锐。陪孩子参加考试的时候，他说"（这个学校）很赚钱啊"，还向雄大提议"我有一位大学同学是律师"，以及初次来到斋木家，看到他们破旧的房子后，随口说道"喂喂喂"，福山用细微的语调，将这些台词中一个精英人士的傲慢与清高巧妙地表现出来，与良多的优点形成了鲜明对照。

无论如何拍，福山总是美得像一幅画，所以我特别注意，将他最美的侧颜放在了令人印象最深的一幕里。

在拍摄现场获得演员的帮助

前文中或许已经写到过"选角决定了作品八成的好坏"。《如父如子》也是这样，拥有非常均衡的演员配置。

确定演员之后，除了儿童演员，我会根据演员的声线重新修改剧本。其间会反复出声朗读，不断润色措辞和句尾的表达方式，算是为演员量身设计角色。

即使如此，我对完成稿也只打六十分。拍摄两家人初次见面的场景时，我让他们到不同的休息室，分别观察他们吃便当的方法、如何打发等待的时间等细节，然后写入剧本。另外，雄大的台词"知道 Spider-Man 说的是蜘蛛吗"，是利利·弗兰克帮助孩子们打消紧张情绪时说的话，我原原本本地将它写到了剧本中。

一直以来，我都深受演员的帮助，这次更是如此。

首先是在演员的牵引下，角色变得更有魅力。在剧本第一稿中，雄大的角色比现在更惹人嫌，他的妻子尤加利也不那么知性。

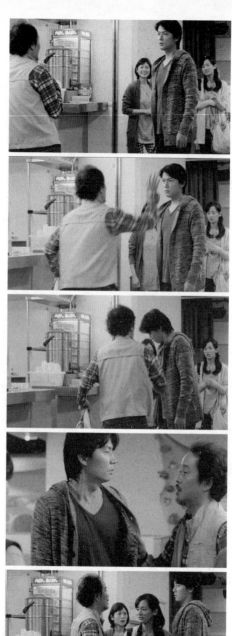

但是确定由利利·弗兰克和真木阳子出演，开始拍摄时，两人身上流露出的人格魅力和气质令片中人物的性格变得更有深度。

最能体现这点的是在购物中心的一场戏。良多提出了一个完全不顾及他人感受的建议："两个（孩子）都给我们也可以。"雄大听后拍了一记良多的头，说："你打算用钱买孩子吗？"我希望有啪的一声的效果，利利·弗兰克却看似有点软弱地、轻轻地打了一下。那一刻，我们可以清晰地感受到雄大的犹豫，以及他过往的人生。在导戏的过程中，着眼点也随之变化，我觉得这是拍摄最有意思的地方。我非常喜欢这一幕。

其次，演员们会直接对剧本提出意见。

我事先告诉他们，"如果觉得剧本中有不合适的台词，请尽管提出来"，其中就有因为他们的提议才保留下来的几场戏。

有一场戏是在家里玩露营游戏的第二天，良多看到了养育六年的庆多拍的照片，不觉落下了泪水。刚好在这之前，我拍到了夫妻俩在阳台上很好的一幕，觉得没必要多此一举，打算将这场戏删掉。但真木和利利·弗兰克提出了不同的意见："还是留下这场戏比较好。"问了福山的意见，他对我说："是留下还是删掉，由导演您决定，但我觉得留下的话，之后的戏会更好演，拍了再决定也无妨。"所以，最终我保留了这场戏。

另外，真木饰演的尤加利对良多说的"在乎像不像，只能说明你缺乏为人父亲的感受"，本来也删掉了，但是真木说："我非常想说那句台词。"因此，最后又加了回去。

一直以来，我都深信所谓作品就是"对话"。清楚自己是面对着谁创作，写下想让他理解的话，我是带着这个沟通的诉求开始撰写剧本，进而投入拍摄。但《如父如子》是以"自问自答"的形式创作出来的。深入挖掘自己脚下的土地，不知不觉中，好像将个人体验和经历过度地投射到了主人公身上。

尤其是在拍摄期间，我越来越难区分自己与作品之间的距离。这个镜头是否有趣，这句台词是否有意思，我都难以客观地判断，常常将没有把握的剧本带到现场进行删改，这种情况一直持续到影片杀青。

因此，演员们客观的看法让我受益良多，真是不胜感激。

斯皮尔伯格导演叫了我的名字

《如父如子》的全球首映礼放在了五月举办的戛纳电影节上。这是我自《无人知晓》以来，时隔九年又一次入围主竞赛单元。正式上映时，由福山雅治领衔的野野宫一家和由利利·弗兰克领衔的斋木一家悉数到场，一同观看了影片，我非常欣喜。

电影放映完，全场起立鼓掌长达十几分钟，说实话这也令我十分开心，心里庆幸电影的开局很棒。在戛纳度过的时光很特别。在这里，我切身体会到自己的作品也包含在电影这种丰富的文化中，自己正在成为这条大河中的一滴，仿佛被某种巨大的物体包围着。因此，能与大家一起共享这段时光，真的非常美妙。

海外的观众也深切体会到了影片中的多处细节。比如良多去斋木家接离家出走的亲生儿子时，真木饰演的尤加利对他说："我们家养两个孩子完全没问题。"电影放到这一幕，观众席上响起了掌声，仿佛在说"活该"。因为观众记住了电影播放到一半时，良多出言不逊，说过"两个孩子都想要"。我和福山都钦佩于电影节观众的高素质。

接着分享一个有点孩子气的小插曲。当史蒂文·斯皮尔伯格在颁奖典礼上叫到我的名字时，我内心真的非常感动。其实我向来都很冷静，但那是大名鼎鼎的斯皮尔伯格啊。

而且，由斯皮尔伯格导演领衔的梦工厂将会翻拍《如父如子》。为了商讨相关事宜，我造访了他在洛杉矶的工作室。谈话涉及了电影的很多细节，那段时光真是幸福。当时，他问我："利利·弗兰克究竟是何方神圣？是演员吗？"还说："斋木家二儿子的表现真是太天才了。"原来导演非常认真地观看了影片。听说影片将由因《单亲插班生》[11]为人熟知的克里斯·韦兹及保罗·韦兹兄弟[12]执导，我同样非常期待。

另外，《如父如子》还被邀请参加西班牙圣塞巴斯蒂安电影节，当时发生了一件事，让我豁然开朗。

当记者说"您与小津安二郎很像"的时候，我想"又来了"。谁知对方接着说："时间流转的方式很像。不仅是这部电影，您的作品能让人感受到时间仿佛转动了起来。不是直线式的，而是循环了一周，来到与先前稍稍不同的地方。这点与小津的电影很像。"
这真是宝贵的意见。

　　的确，我就是这样把握电影中的时间，而且最终想到达与最初不同的地方。这是为什么呢？或许是因为日本人有春夏秋冬、四季更迭的实感。于是我问他："这里的人没有时间流转的感觉吗？"他回答："没有，这里的时间是直线式往前的。"

　　因此说我的作品与小津作品相似，指的不是方法论或主题，而是在时间的感受性上相似。在两个日本导演的作品中，欧洲人发现了共通的东西：日本人对时间的感受就像描摹圆圈一样，他们以这种循环往复的思维看待人生，也以这种思维来理解时间。

　　听到这番评论，我开始重新思考自己的电影以及自己身上日本人的特点。从《幻之光》开始，我就一直被说像小津，但是直到此刻才接受了这个说法。

海街日记

2015

见面的瞬间，我便知道"铃就在那儿"

《海街日记》改编自吉田秋生[13]的同名漫画[14]。一天，住在镰仓的三姐妹身边，来了一位初中一年级的同父异母的妹妹。四个人开始共同生活，其间经历的很多事加深了家人间的羁绊。

我非常喜欢吉田秋生的漫画，她的《战栗杀机》[15]《比河更长更舒缓》[16]《樱园》[17]等都看过。《海街日记》漫画单行本的第一卷于二〇〇七年四月发售，一上市我就迫不及待地看了，看完便有将它拍成电视剧的想法，然而还是迟了一步。漫画连载期间，已经有人获得了这部作品的影视改编权，我虽不甘心也没有办法，只能放弃。

二〇一二年，制片人从出版社收到了影视改编权已经收回的消息，当时我正准备拍摄《如父如子》，第一部电视剧《回我的家》也刚拍完没多久。这时才将改编成电影的想法正式提上日程。

在选角方面，长女幸由绫濑遥出演，二女儿佳乃由长泽雅美出演，三女儿千佳由夏帆出演，四女儿铃由广濑铃出演。如果在二〇〇七年拍摄的话，肯定不是这样的演员阵容，所以凡事都是靠缘分。

广濑铃曾出演进研补习学校高中讲座招生广告中的一个镜头，我偶然间看到，便向她发出了试镜的邀请。二〇一三年秋天，广濑铃还默默无闻，也没有电影试镜的经历。她穿着略微宽松的校服，脚上穿一双篮球鞋，虽然不像现在这样出挑，但是脸上的神情丰富多变，连声音都如铃铛般清脆美好。她全身散发着十五岁的年纪特有的短暂而美好的气息，也让人感受到她的未来拥有巨大的可能性。几乎是在与她见面的瞬间，我便知道："（四女儿）铃就在那儿。"不仅是我，当时在现场的人都如此觉得。

不合群，独自站着，能与大人形成对峙的氛围，这也非常适合铃这个角色。这种效果很难表演出来，所以必须找到生来就有这种气质的孩子。事实上在开拍前，铃与扮演她同年级同学的三个孩子刚刚结束足球练习，在回程的电车上，只有她在与三人稍稍拉开距离的地方抓着吊环。并不是关系不好或者缺乏与他人交往的能力，而是自然而然地成了默默站在一旁的孩子。

在试镜时，我让她尝试了三种表演形式。与大姐幸一起制作梅酒的戏份，我没有给她剧本，直接口头讲述；在结束足球训练回家的路上，去便利店买肉包子的戏份，让她自由发挥；最后一场戏则直接给她剧本——"与三个姐姐吵架了，铃独自一人站在桥上，这时中学同学刚好经过，开始聊起来"，闲聊中部分台词还夹杂着方言。无论哪场戏，铃都发挥得很好，我问她想选哪种表演方式，她回答："大概在其他拍摄现场是体验不到的，因此我更喜欢没有剧本的口述方式。"这是铃自己选择的表演方式。拍摄结束后，她告诉我："拍每一场戏时，我都会思考从姐姐们的台词和表情中可以感受到什么，所以得用耳朵仔细听。"我想这样的经历对她来说或许有好处。

十五岁的广濑铃那转瞬即逝的珍贵瞬间永远留在了胶片中，全体工作人员也仿佛沉浸在这份幸福之中。饰演姐姐的三位演员也回忆起"自己曾有过这样的作品"，笑意盈盈地望着小妹。正因

《海街日记》
[上映时间] 2015年6月13日 [发行] 东宝、GAGA [制作] 富士电视台、小学馆、东宝、GAGA [影片时长] 126分钟 [概要] 住在镰仓的香田家三姐妹，长女幸、二女儿佳乃、三女儿千佳，某天突然收到了十五年前离家出走的父亲的死讯。姐妹三人赶到山形县出席父亲的葬礼，遇见了十四岁的同父异母的妹妹铃。看到孤独无依的铃，幸提出让她跟她们一起生活。铃作为香田家的四女儿开始了在镰仓的新生活。 [原作] 吉田秋生《海街日记》（连载于小学馆《月刊Flowers》） [获奖] 圣塞巴斯蒂安国际电影节观众选择奖、日本电影学院奖最佳作品奖·最佳导演奖·最佳摄影奖·最佳灯光设计奖等 [主演] 绫濑遥、长泽雅美、夏帆、广濑铃、大竹忍、堤真一、风吹淳、利利·弗兰克、树木希林等 [摄影] 泷本干也 [灯光] 藤井稔恭 [美术设计] 三松圭子 [服装] 伊藤佐知子 [配乐] 菅野洋子 [食物造型师] 饭岛奈美 [宣传美术] 森本千绘

为有三个姐姐，才能带出铃那闪闪发光的表情。

四姐妹和家才是影片的主角

说到四个女演员，《海街日记》讲述的是如何享受日复一日的琐碎日常，所以我觉得应该让四个明艳的姐妹来演。举个例子，就像东宝的贺岁电影《细雪》[18]。如果能拍成这样，让大家知道即使看似朴实平淡的剧情也能成为电影，那就太好了。

与选角同样重要的是找寻香田一家住的房子。原作中的房子是带有走廊的两层木结构建筑，但镰仓周边几乎没有这样的房子了，仅有的几处也大多改建为资料馆或店铺。有一次勘景时，在极乐寺旁发现了一栋气派的日式房屋，大概曾是武士的宅邸。一位印度人在那儿卖兜裆布，向我推销"日本的兜裆布多么厉害"，又叫我"穿上试试"。于是我在西裤外面套上兜裆布回了家，真是一次不可思议的勘景经历。这些看似毫无意义的小插曲，或许什么时候就能成为创作下一部作品的契机，我非常享受这样的时光。

要不放弃镰仓，去别处找找。也有人提议，可以在东宝摄影棚内搭设带有中庭和走廊的内景。但如果是布景，庭院内就不会有风吹进来，我想竭力避免这一点。于是我请大家再找找，竟然奇迹般地找到了，就是用于拍摄的那所房子。当时制作部手里的神奈川县地图几乎涂满了红色。

最初，对方"只允许拍摄房子的外观"，我和制作部一起去实地勘察，发现真的是一座非常理想的房子，所以干脆租下了起居室、佛龛及二层的所有房间，几乎可以在这座房子内完成全部拍摄（只有厨房是新装修的，需要重新布景）。我们还在院子里种上了梅子树。四位主演也非常喜欢这处房子，当天的拍摄结束了，也常常不愿从走廊上离去。

电影拍摄完成后，发生了一件令我高兴的事情。有杂志决定做一期《海街日记》的特辑，因为采访，我时隔许久再次回到了这里。房主告诉我："梅子树的花开了，您一定要看看。"来到中庭，白色的花朵正灿烂地绽放。几个月后，房主捎来消息"摘到了果子"，还做成梅酒送来。拍摄期间给他们一家造成了诸多不便，但若是四姐妹从小院眺望的梅子树今后年年都能开花结果，也算是一种小小的报恩了。

四个季节、三场法事

《海街日记》的漫画现在仍在连载，原作第一卷中还在念初中一年级的铃，到了第七卷即将升入高中。

我开始执笔写剧本的时候，漫画恰好连载到第六卷。一个叙事跨度如此之大的故事，我该截取哪部分改编，又如何保留原作中吸引我的部分呢？不断地打磨，将剧情融合到两个小时的电影中实在辛苦，却也是第一次的新鲜体验，颇具挑战价值。

电影中出现了三场法事：在山形县举办的四姐妹生父的葬礼、祖母的七周年忌辰，以及"海猫食堂"的店主二宫先生的葬礼。

最初的剧本中，故事始于父亲的葬礼，结束于父亲的一周年忌辰。四姐妹到山形县参加周年忌，得知父亲再婚的妻子不见了，铃生气地跑到桥上。结尾是四姐妹一起看萤火虫的情节。

之后经过多次修改，变成了讲述居住在镰仓（海街）的四姐妹今后仍将继续生活下去的故事，所以我认为影片的结尾必须放在那个海边小镇，而不是山形。

我为什么想讲述法事呢？原作中每一场法事无一例外都会与钱扯上关系。人死后，随之而来的不仅仅是悲伤：父亲的葬礼后，遗产该如何处理；祖母七周年忌辰时，要考虑是否卖掉房子；海猫食堂店主的葬礼也是如此，虽没有明确交代，同样涉及了遗产的分割。这样的讲述非常具有现实感，我觉得很有意思。

这样叙述有些前后颠倒，不过我的构想是在全片中透过铃的眼睛，一点点地呈现小镇的全貌。

最初的构想是，铃在山形车站送走姐姐们后，紧接着出现铃搬家的卡车在海边奔驰的镜头，故事就从这幅秋日的景象开始。初次来到小镇的铃，坐在卡车上一路看到秋天的庆典活动和沿海的景色。也就是说，我打算在影片一开始就向观众展示镰仓的全景。然而，原作中御灵神社的面具游行庆典举办时车辆禁止通行，自然无法从搬家的卡车上看到。现在还规定搬家的人不能坐在卡车

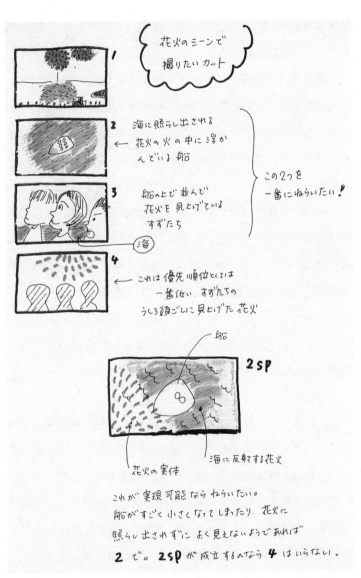

《海街日记》烟花一幕的分镜图

的副驾驶座上。看来自己的构想完全与现实情况背离了，不免愕然。总之，这样的设定行不通。

于是我改变思路，既然故事正好追逐季节的步伐推进，那就让视野随着季节的更迭变化。秋天，铃的世界还仅限于家中。冬天，她就跟着二姐佳乃去上学了，一路上小镇的景象也一一呈现在眼前。到了春天，她第一次和朋友来到了海边。铃慢慢打开了心扉，视野也渐渐变得广阔。

同时，一开始父亲的葬礼是为四姐妹而设的葬礼，祖母的七周年忌辰则是老屋的葬礼，食堂店主的葬礼则是海街的葬礼。随着铃视线的延伸，三场法事得以呈现出不同的侧面。这样一来，电影整体的架构总算定了下来（过程还真是漫长）。

描述四姐妹各自的生命力

身为创作者，我担心电影与漫画不同，它是一种在两个小时内讲完一个完整故事的媒体。如果没有一定的逻辑，就会沦为日记一般的流水账。在这一点上，我花了更多心思。当然，如果创作者的逻辑被观众看透也很麻烦。加之两个小时的电影中穿插三场法事，拿捏不好的话会被死亡抢走重点，所以二女儿负责爱欲方面的表现，会拍摄她的肉体，三女儿则负责食欲，尤其会仔细地拍摄她吃饭的镜头。通过表现四姐妹各自不同的生命状态，使三场法事的逻辑框架不至于太过明显。

祖母的七周年忌辰结束后，有场戏是四姐妹和三位姐姐的母亲及伯母共六人一起回家。自己说难免有点自吹自擂的嫌疑，那是整个影片中我最喜欢的一场戏。

一开始是房子的长镜头，接着大女儿入画，从玄关传来声音。大女儿为了换气打开窗户，紧接着其他人一下子涌到画面中。每个人都坐在自己平常坐的位置上，只有母亲和长女好几次险些撞到。对这个家来说，母亲是多余的存在。从这个镜头可以看出，平常不在的人在屋里走动，让幸多少有些不快。这场戏中，我让六个演员分别在屋内活动，将房子所有的空间——起居室、佛龛前、走廊，以及画面中没有出现的厨房——都灵活地调动起来。

当时，长泽雅美饰演的二女儿佳乃正在画面右侧的位置脱丝袜。事实上，这场戏是我在拍摄前一天晚上才想出来的。跟助理导演一商量，他果断地说："没有人会这样脱吧。"但是在拍摄当天，我拜托长泽雅美试一下，她竟然做了。凡事都不要轻言放弃，你看，这不就是一个很好的例子吗？

纵然失去，也有传承下去的东西

在拍摄《海街日记》的时候，我参考了两部作品。

一部是多次被搬上大银幕的《小妇人》[19]。在父亲作为牧师随军出征的一年里，四姐妹和母亲互相扶持，过着简朴的生活。父亲回来之后，一家人才真正安定下来。这背后是古老朴素的家庭观念，是一个非常古典的故事。《海街日记》则反其道而行，父亲带着情人离开家，连母亲也弃她们而去。父母离去的空白由三姐妹来填补，生活也渐渐地安定下来。就在这时，她们收到了父亲去世的消息，母亲也回来参加葬礼，家里又突然热闹起来。这个故事相对更具现代感。

我参考的是《小妇人》中四姐妹的构图——四人站成一列凝望前方的姿势。这是有意识地设计出来的构图，我也想将四姐妹纳入这样一个画面，所以才有了冬日的窗户边，四人眺望着院中的梅子树的一幕。

还有一部是小津安二郎的《麦秋》[20]。看原作时，我觉得两者给我的感觉很相似，不知道漫画作者吉田女士在创作时是否有这个意识。另外一点就是书名，取的是"海街日记"，而不是"镰仓四姐妹物语"，它不是讲述家族的故事，而是海街的故事。

我自己更喜欢成濑巳喜男电影中的细小和琐碎，小津导演对家族的描写，实际上着眼的是更为宽广的事物，比如城市和时间。他这种宽广的视角以及对时间的感受，正是他电影世界中的丰富性。这点与《海街日记》是相似的。

稍稍介绍一下《麦秋》的剧情。电影讲述的是住在北镰仓的一家人的故事，哥哥（笠智众）担忧二十八岁仍待字闺中的妹妹（原节子），托亲戚给她介绍了一位年近四十的相亲对象。结果妹妹与

住在附近的女人（杉村春子）家中丧偶的儿子结了婚。女方家的长子死于战争，这个丧偶的男人实际上是长子的朋友。死去的长子成为两人之间共同的缺失，促使两人结合在了一起。本是幸福生活的开端，但是因为两人的结合，双亲（菅井一郎和东山千荣子）离开了北镰仓的家，搬去了奈良。随着一个新家庭的诞生，另一个家庭解体了，并不是一个单纯的大团圆结局。

小津导演自己也说过："比起故事本身，我想讲述更加深邃的'轮回'，或者说是'无常'。"这种"生活走向崩坏，且会不断循环"的视角，与《海街日记》也有一定的相似性。

父亲去世了，但是继承父亲血脉的"铃"还在那儿。母亲离家而去，但还留着与母亲同龄的梅子树和老房子。海猫食堂的店主去世了，但油炸竹荚鱼的味道仍然飘在海街上空。"纵然失去，也有传承下去的东西"，这是通过法事描绘出来的。这实际上不是一部家庭电影，称为叙事诗或许稍显夸张，但是不将它放在更长的时间上去理解，就无法领略原作丰富的内涵。所以我其实是间接地参考了小津安二郎导演的世界观。

不是作为作家，而是作为职人

拍摄《奇迹》《如父如子》《海街日记》三部电影的时候，比起"作家"，我其实更像个"职人"。

不知是什么时候，我说了句"想当个职人"，就有人反驳我："导演还是得保持作家性吧。"我曾思考过两者的区别，如果说职人考虑的是"如何烹饪鲜美的时令鲜鱼，才能在保持原有味道的同时，又能满足客人的需求"，那导演的工作其实非常接近。

当然，我也写原创的剧本，或许会因此被冠以作家之名。但是有一点可以确定，我不是那种"用什么素材都可以做出属于自己风格的法式料理"的导演。

《奇迹》的剧本是原创的，但"九州新干线"的主题来自别人。又因为在试镜时遇见了前田兄弟，才想挑战一下如何将他们的魅力呈现在作品中。

《如父如子》也是如此，我思考着该如何拍摄，才能展现出主演福山雅治不同于以往的魅力。因此，剧本几乎是将福山饰演的男主人公逼到了绝境。事业、高级公寓、高档汽车、漂亮的妻子和儿子，我将他拥有的东西一件件从他身上夺走，在这样的思路下完成了剧本（完全像是对帅哥的诅咒啊）。

为什么要把他逼到绝境呢？因为我觉得福山沉默不语的神情最有说服力。被逼到什么话都说不出来的时候，他的情感也最容易显露。对电影演员来说，这是最为重要的素质，也是福山最具魅力的地方之一。

《海街日记》当然也是如此，在拍摄时便考虑着如何"烹饪"自己喜欢的原作这道料理，以及如何呈现四位主演闪闪发光的模样。

如果仅仅依托自己的世界观创作，往后恐怕会越来越难以产出作品，止步于"××世界"的评价声中。相比之下，通过与陌生的人和事相遇创作出来的作品，不仅看起来有意思，也会有新的发现。这三部作品是我电影生涯的分叉点，多亏了它们，我感到自身的能力变得更加宽广。我当然也想拍能让导演的名字广为传颂的作品，但至少在六十岁之前，还是会有意识地继续往外延伸。

宣布"暂时告别电影"

或许有点小题大做，我在前文中也有提到，曾有一段时间，我放弃成为一名"作家"。为何会产生这样的念头呢？尽管《步履不停》是完全按照自己的想法创作的，但是发行公司 Cine Qua Non 面临破产，所以说在商业上是一部失败的作品。日本国内的观影人数只有十五万，连制作成本都收不回来。

另外，在经济和精神两方面给予我极大支持的制片人安田匡裕先生，在《空气人偶》即将杀青的时候离世了。这些事情接踵而至，令我开始思考："自己一直以来作为作家撰写原创剧本，应该给周围的人添了很多麻烦"，"用别人的资金拍摄，要是没有商业价值，大家都不会幸福"……为了暂时停下脚步摸索今后的方向，我宣布"暂时告别电影"。这是发生在二〇一〇年一月的事。

然而就在这时，我接到了拍摄以九州新干线为主题的电影的邀请。若是安田先生还在世，若是《步履不停》和《空气人偶》的票房良好，我一定会以"不接外部企划"为由断然拒绝。但又觉得，如果安田先生还在世，他一定会对我说："是枝，偶尔也可以拍摄这样的作品。"所以，我决定接受邀约，之后竟然感到非常有意思。"作家"的尊严和坚持早就不重要了，在思索"如何拍摄新干线"的过程中，也能体现出作家性。相比作家，当个职人在思想上会更通透，作品的视野也更开阔。对我来说，这是一个很大的转变。

自我开始拍电影，已经过去了二十多年。

这二十多年来，世界发生了许多令人难忘的大事，比如阪神大地震、东京地铁沙林毒气事件、美国9·11恐怖袭击事件、东日本大地震。把目光转到自己身上，父亲去世，我结了婚，然后母亲去世，接着女儿出生。后来，村木良彦先生和安田匡裕先生又相继离世。当然，这二十年来，我作为个体也发生着改变，对世界的看法也在不断变化。

现在的我，想好好讲述自己的生活是建立在哪些东西之上的，不再追逐时代和人的变化，而是从自己微小的生活中编织故事。

我凝视着自己脚下与社会相接的黑暗面，同时珍惜每一次新的邂逅，用开放的态度面对外部世界，努力在今后的电影中呈现那些好的一面。

比海更深

2016

福利房和台风的记忆

最后，我稍微谈一谈新作《比海更深》。

影片以没有真正长大的中年男子和年迈的母亲为中心，讲述过着与梦想中的未来不一样的生活的一家人的故事。主演是阿部宽和树木希林女士，继《步履不停》之后，两人再次扮演了母子。

有几个原因促使我拍这部作品。一个是我想认真地再拍一次希林女士。另外一个是因为我自小生活在福利房，一直想拍摄一个发生在福利房的家族故事。影片虽然是虚构的，但其中的很多细节都来自个人的真实体验。

趁母亲不在家，回家找寻父亲的挂轴的那场戏，正是来自我的经历。并不是因为缺钱用，而是母亲说："你爸的东西，我在葬礼后全部扔掉了。"我当时听了心中一惊，于是将这段经历添油加醋放进了电影中。

二十八岁前，我一直住在东京清濑市的旭丘福利房社区。开心的是，这次我竟然可以在那儿拍摄。虽不是我住的那栋，但正好有一套同是三室一厅的房子空了出来，于是把它租下来用于拍摄。我一边想象着从小生活的家的格局，一边撰写剧本，所以演员在房间内走动时，台词的长度与移动的距离基本吻合。例如母亲抱着被子从阳台回到六叠大的房内时，台词也刚好说完。

在《步履不停》中，我也加入了很多母亲的事情，但拍摄租借的是医生的家，所以演员走位时，出现了端着茶从阳台走到起居室，无法说完剧本台词的情况，不得不在现场修改。这次我几乎没有在现场修改台词，着实不可思议，可以说是电影生涯中仅有的一次。

公共住宅作为家庭电影的舞台，在我看来应该非常有趣。总之，这次总算实现了夙愿。

在第五章我写过，《步履不停》最初的剧本是一个发生在一九六九年《蓝色街灯下的横滨》流行的时候的故事，接近于自传。

我九岁那年，全家搬到了福利房，之前一直住在一栋两层的木结构长屋中，台风一来家里就乱成一团。平时在家里没有存在感的父亲，会用绳子拴住屋顶免得被风吹走，把窗户整个儿用白铁皮封上固定。我还记得他那时生气勃勃的模样。

我曾将父亲的那副样子写进《步履不停》最初的剧本中，后来几经修改，删掉了台风的故事。因此这一次在《比海更深》中，加入了主人公将儿时的台风记忆告诉儿子的那场戏，这件事算是在我心中告了一个段落。

回归"作家"后写的一个小故事

对我来说，《步履不停》是我所有作品中拍摄起来最没有压力的一部。其他作品当然也很重要，但只有《步履不停》是在我抛却好胜心和贪心的心境下写出来的。

"写自己想写的故事"，我想再次体会这种心情，于是有了这次的《比海更深》。

在这两部作品之间，我和阿部宽都成了父亲，也都迈入了五十岁的年纪。而且影片的主人公是儿子和丈夫的同时，也是一位父亲，相比《步履不停》，处于更为复杂的人际关系中。导演和演员能像这样随着角色的人生成长和老去，应该算是难得的幸事吧。

©2016 富士电视台、BANDAI VISUAL、AOI Pro、GAGA

《比海更深》
［**上映时间**］2016 年 5 月 21 日 ［**发行**］GAGA ［**制作**］富士电视台、BANDAI VISUAL、AOI Pro、GAGA ［**影片时长**］117 分钟 ［**概要**］落魄的小说家良多为了赚取生活费，到侦探事务所工作。他对前妻响子仍有感情。良多的母亲淑子独自一人生活在福利房。有一天，良多、响子以及他们十一岁的儿子真悟来到了母亲家。因为刮台风回不去，一家人就这样共同度过了一个晚上。 ［**主演**］阿部宽、真木阳子、小林聪美、利利·弗兰克、池松壮亮、吉泽太阳、桥爪功、树木希林等 ［**摄影**］山崎裕 ［**灯光**］尾下荣治 ［**美术设计**］三松圭子 ［**服装**］黑泽和子 ［**配乐**］Hanaregumi

在步入六十岁的时候，希望能跟阿部宽再拍一部这样的电影。

电影导演究竟是作家还是职人？不同的导演或许会给出不同的答案，但于我而言，电影不是产生于自我的内部，而是经由与世界的邂逅诞生的。

借用前面的比喻，在拍摄《奇迹》《如父如子》《海街日记》的时候，我作为"料理人"的意识很强。拍摄《比海更深》时，我感到自己回归了"作家"的角色。通过前三部作品，我自己的能力变得更宽广，但一味拍摄那种电影会累积很多压力。因此，能拍摄这样朴素的作品，对我来说是一件奢侈的事。如果还能继续享受这份奢侈，作为电影导演也能积累更多宝贵的经验（但愿能持续下去）。

在《比海更深》中，我倾注了对"家庭剧"所有的思考。不是源自这二十年来作为电影导演的经历，是出于对孩提时代喜爱的电视剧的偏爱和尊敬，才有了这部电影。

这是我基因中个人色彩最浓厚的部分，我有这样的认知，同时也愿意接受这个事实，或许这也是自负的表现。这部电影大概不适合用"集大成"或者"代表作"这样看起来全力以赴的字眼形容。相反，作为创作者，我从头到尾都被一种放松的力量指引，才能让某些东西显露出来。

这或许就是爱吧，是我对家庭剧、对福利房社区、对生活在那儿直到去世的母亲，还有对主人公因无法过上想要的生活而后悔和灰心的爱。这一半也算是我的愿望，我希望观众在看这部电

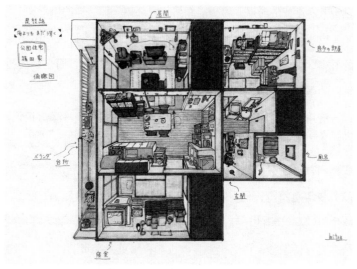

《比海更深》福利房的设计图

影的时候，能带着这样的感情去观赏。

爱是可以通过影像传播的，我意识到这一点是在大学时代，在早稻田的 ACT 小剧场看完费德里科·费里尼 [21] 导演的《大路》[22] 和《卡比利亚之夜》[23] 之后，那时我十九岁。爱的多少、质量和纯度或许无法与他人比较，但这部《比海更深》倾注了我当下全部的爱。

注释

[1] —— 《伴我同行》
罗伯·莱纳于 1986 年执导的电影，1987 年在日本上映。

[2] —— 取景调查
编剧撰写剧本前的一项重要工作，寻找可能成为故事舞台的地方，确定故事和每个镜头的构成。

[3] —— 选景
选择适合拍摄的场所。

[4] —— 莲实重彦
法国文学专家、电影评论家、文艺评论家。1936 年生于日本东京。考入东京大学研究生院人文系研究科读博，后去法国巴黎第四大学留学，并取得博士学位。1975 年，在东京大学教养学院开设电影课程。1985 年，创办季刊电影杂志《Lumière》。历任东京大学教养学院院长、副校长，于 1997 年升任校长，2001 年卸任，现为东京大学名誉教授。著有《导演小津安二郎》、《反日语论》、《电影狂人》系列、《戈达尔革命》、《"红"的诱惑，虚构论绪论》《电影崩溃的前夜》、《电影时评 2009-2011》等。

[5] —— 万田邦敏
电影导演。1956 年生于日本东京。

在立教大学就读期间，和黑泽清等人成立独立电影制作社团"Parodies Unity"，开始拍摄 8 毫米电影。1996 年，执导首部电影《宇宙货船 遗迹 6 号》。2011 年以《爱，未完成》获戛纳电影节天主教人道精神奖。代表作有《谢谢》《接吻》《犬道》等。

[6] —— 《国王的演讲》
汤姆·霍伯于 2010 年执导的英国电影，2011 年在日本上映，获包括最佳影片在内的四项奥斯卡奖。

[7] —— 崔洋一
电影导演。1949 年生于日本长野县。从东京综合写真专门学校肄业后，作为助理灯光师进入电影领域，担任大岛渚执导的《感官世界》、松田优作主演的《最危险的游戏》的首席助理导演。1981 年，执导电视电影《职业猎人》。1993 年执导热门影片《月出何方》。代表作有《马可斯山》《猪的报复》《导盲犬小 Q》《血与骨》《杀手泰寿》《卡姆依外传》等。2004 年开始出任日本电影导演协会理事长。

[8] —— 日本电影导演协会
为促进电影和影像领域的发展、提高电影导演的地位而开展活动的职业团体，成立于 1936 年。

[9] ——《从东北出发：面向未来的学校》
为支持东日本大地震灾后复兴，NHK 从 2012 年开始在教育频道播放的教育节目。

[10] ——《扭曲的羁绊——抱错婴儿事件的十七年》
奥野修司著，1995 年由新潮社出版。

[11] ——《单亲插班生》
改编自尼克·霍恩比的小说《关于一个男孩》，由克里斯·韦兹、保罗·韦兹兄弟于 2002 年共同执导的英美法合拍片，同年在日本上映，获奥斯卡金像奖最佳改编剧本提名。

[12] —— 克里斯·韦兹及保罗·韦兹兄弟
出生于美国纽约的一对电影导演兄弟，哥哥保罗·韦兹出生于 1965 年，弟弟克里斯·韦兹出生于 1969 年。1999 年执导首部电影《美国派》。代表作有《美国派 2》《重返人间》《单亲插班生》等。保罗·韦兹个人执导的有《大公司小老板》《美国梦》，克里斯·韦兹个人执导的有《黄金罗盘》《暮光之城：新月》《更好的生活》等。

[13] —— 吉田秋生
漫画家。1956 年生于日本东京，毕业于武藏野美术大学。1977 年在《别册少女漫画》刊载《有些不可思议的房客》出道。1983 年出版《吉祥天女》。2001 年出版《YASHA－夜叉》，获小学馆少女漫画组奖。代表作有《加州物语》《比河更长更舒缓》《战栗杀机》《情人的吻》等。

[14] ——《海街日记》同名漫画
吉田秋生著，2006 年 8 月开始在《月刊 Flowers》不定期连载。截至 2016 年 5 月，单行本已出版七卷。获文化厅媒体艺术祭优秀漫画奖、漫画大奖、小学馆漫画奖。

[15] ——《战栗杀机》
吉田秋生著，1986 年由小学馆出版，目前由小学馆出版文库本。

[16] ——《比河更长更舒缓》
吉田秋生著，1984 年由小学馆出版，获小学馆漫画奖。

[17] ——《樱园》
吉田秋生著，1986 年由白泉社出版。

[18] ——《细雪》
谷崎润一郎在 1948 年创作的小说。

分别于 1950 年（新东宝）、1959 年（大映）、1983 年（东宝）三次被搬上大银幕。1983 年版的电影中，四姐妹分别由岸惠子、佐久间良子、吉永小百合、古手川祐子饰演。

[19] ——《小妇人》
美国小说家露易莎·梅·奥尔科特创作的自传小说，1868 年出版。1917 年至 1994 年，共七次被改编成电影。

[20] ——《麦秋》
小津安二郎执导的电影，1951 年上映。原节子曾在小津安二郎的三部电影中，三次饰演名叫"纪子"的不同角色，这三部作品也称为"纪子三部曲"。《麦秋》为其中的第二部。

[21] —— 费德里科·费里尼
电影导演。1920 年生于意大利里米尼市。1950 年与阿伯特·拉图尔达共同执导处女作《卖艺春秋》。1960 年执导的爱情片《甜蜜的生活》获戛纳电影节金棕榈奖。1993 年获奥斯卡终身成就奖。代表作有《浪荡儿》《大路》《卡比利亚之夜》《我记得》等。1993 年去世。

[22] ——《大路》
意大利电影，费里尼导演的代表作

之一，1954 年上映，获奥斯卡金像奖最佳外语片奖。

[23] ——《卡比利亚之夜》
费里尼于 1957 年执导的意大利电影。

终 章

献给今后立志拍电影的人

为了让电影盈利

在日本，这几年想自编自导电影已变得相当困难。

在大制片厂时代，导演并不需要筹措资金。现如今，虽然也要看是由谁来推动企划，但导演自己提出原创企划的情况正越来越少。如何构筑合作关系、如何与合作者保持长久的信赖关系、怎样才能让对方感到"出资拍摄真好"，导演从一开始就得考虑这些问题来行动，否则今后肯定无法拍下去。

反过来说，在这样的时代，只有做到这一点的导演才能继续拍下去。

拍摄《如父如子》的时候，我第一次与电视台（富士电视台）合作，也建立了良好的合作关系。其后的《海街日记》同样合作得很好。但是每每有电影上映，我和演员就要以"霸屏模式"频繁参加电视台的资讯节目和综艺节目，宣传电影。虽说合作得很好，但还是很难赞同这样的方式。富士电视台是民营电视台，可使用的毕竟是公共资源，这样的行为无疑跟提倡电影多样性的理念相违背，所以我很愧疚。但是电影不依靠综合影院和电视台，只通过艺术院线就能赚钱的时代已经过去，对我来说这也是没有办法的选择。只能做好被批评的准备，一以贯之地继续创作。

最后一章中，我想面向今后立志拍电影的人，谈一谈难以启齿的金钱话题，希望能对你们有所帮助。

首先简单说一说制作费、票房收入和发行收入的概念。

假设拍一部电影，制作费为一亿日元（包括宣传费），电影在影院上映后获得了三亿日元的收入，那这个收入就是票房收入。其中的一半，即一亿五千万是影院的收入。当然具体分成根据与影院签订的合约会有所不同，一般有五五开、四六开等，取决于电影制作公司和影院哪方更加强势（制作公司较强势的话，收入可能会六四开，反之则可能是四六开）。

除去影院收入之后，就是发行收入。

以上面的一亿五千万日元为例，其中给发行公司的发行费用一般占两成，大概三千万日元。再扣除宣传费（假设为两千万日元），剩下的一亿日元就是净收入，全部归投资人，也就是电影制作委员会所得。

若是一部电影投资一亿日元，最后投资人获得的票房收益也达到一亿，那毫无疑问是一部成功的电影（还有发行 DVD 的收入和电视台播放的收入，回本基本没有问题）。事实上，通过票房能回本的电影只占到一成，甚至更少。如果再扣除电视台的投资，光靠票房即可回本的电影大概只占百分之三。

另外，如果签订了盈利可分红的合约，制作公司最多能获得净利润的百分之十五。出资一亿日元，最后收回一亿两千万日元的话，那制作公司获得的报酬就是两千万中的百分之十五，即三百万日元，剩下的一千七百万日元则作为制作委员会的净利润分账。导演如果签订了获得百分之三分红的合同，那可以获得两千万日元的百分之三，即六十万日元。

通过以上的说明，我相信大家应该都能明白电影的成功（收回制作成本之后才是收益）是一件非常不容易的事情。当然导演想赚钱更是难上加难。

日本严峻的补助金现状

电影要盈利的可能性可以说极低，所以不通过其他的方式（例如通过获奖赢得口碑），新人导演几乎没有拍摄第二部作品的机会。事实上，一辈子仅仅拍了一部作品的导演也大有人在。当初还是新人导演的我能有机会拍摄第二部作品，除了运气之外，其实受惠于来自东京电影节的四千万补助金。

二十年前，东京电影节有一项制度，给新人导演的第二部作品提供四千万日元的补助金，而且不需要返还。《下一站，天国》幸运地成为这笔补助金的受益者。也就是说，《下一站，天国》制作费的构成是这样的：TV MAN UNION 提供了四千万，广告制作公司 ENGINE FILM 出了四千万，再加上补助金四千万，一共一亿两千万日元。

最终，只要收回补助金之外的八千万日元就可以，所以我决定用余下的四千万做一些新的尝试。其中一个是培养有才华的青年导演。

拍摄《幻之光》的时候，跟我同龄的高桥严以助理导演的身份加入了剧组。一般情况下，助理导演团队会在开机前三个月加入剧组，杀青之后他们的工作即告结束。最多只有三四个月，所以只能体验到拍摄现场的工作。

而纪录片的助理导演会参与从企划到后期的全部过程，到了播出那天，也会陪同在一旁。因此，他们非常清楚每部作品从企划到播出究竟经历了怎样曲折的过程，最终才得以呈现在观众面前。

有人说这种事不是导演应该考虑的，这个说法有一定的道理，但从我个人来说，我想让导演团队的人更多地了解现场以外的事情。于是，《下一站，天国》依然由高桥严担任首席助理导演，第二助理导演和第三助理导演分别由 TV MAN UNION 的一名员工和西川美和担任。另外还包括前来打工的学生，从调研阶段开始到完成的一年内，让他们紧紧跟着剧组。我相信这对他们来说是有益的经历。

如今，东京电影节早已取消了补助金政策，如此高额的补助金几乎再难在日本找到踪影。文化厅实施的"支援电影制作"（振兴文化艺术补助金）项目对制作费超过一亿日元的电影也只提供两千万的补助金。为了保护本国文化，日本难道不应该积极地给予扶持吗？

像法国就有完善的资助体系，票房收入的百分之十点七二要缴纳一项特别的附加税，以这样的形式返还给CNC[1]，再由政府拨款，用于制作其他的电影。虽然带有浓厚的国家色彩，但如果不这么做，就无法保护本国的电影产业。法国大概是出于这份危机感才实施这个政策。

然而，日本没有这种危机感。那态度就像是"国家过分干涉，创作者会讨厌，那就在一边为你们加油吧"。国家主导电影诚然令人困扰，但现状是日本独立电影几乎难以跟其他国家匹敌，甚至连出场的机会都没有。

事实上，这二十年来，日本国内的电影行业已陷入相当悲惨的境地。地方上只剩下综合影院，东京放映过很多优秀电影的小剧场也一家一家地关门。再不做些什么，过去构筑起来的丰富多样的电影文化恐怕将永远离我们而去。

胶片还是数字，应该自由选择

最近，在电影节上导演们聚在一起时，必定会问："数字的怎么样？"曾有一次，山田洋次 [2] 导演问我："是枝，你打算用胶片拍到什么时候呢？"事实上，日本还在用胶片拍摄的导演只剩山田洋次和小泉尧史 [3] 了。现在比起电影，广告行业使用胶片的情况更多。

数字拍摄后进行数字化放映和用胶片拍摄再转成数字格式放映，两者在阴影的表现和画面的颗粒质感上有一定的差别，不过观众通常难以察觉。执着于胶片拍摄的导演一般有比较宽裕的制作费，或者是跟不上技术革新的人（我两方面都有）。

事实上，电影行业如此快速地向数字化转变，不仅仅是因为"与胶片相比，数字的预算少很多"。

大家或许不知道，现在能放映胶片电影的影院数量正在急剧减少。二〇〇六年，日本放映数字电影的银幕只有九十六块，到二〇一五年年末，日本的总银幕数达到了三千四百三十七块，其中有三千三百五十一块用于数字放映。也就是说，即使用胶片拍摄了，能用胶片放映的影院也少之又少。

比起制作方，发行方对数字化放映表现出了更加强烈的意愿。

首先，数字放映可以减少拍摄费、管理胶片的人工费以及发送和保管的费用。其次，数字格式将来可以引入好莱坞的内容管理系统。使用这一系统，便能像控制电视播出一样在影院放映电影，统一的格式不仅高效，而且方便。当然，最重要的是不需要再制作几百份拷贝了。

可另一方面，目前还不知道 DCP 可以保存多少年，因此资金富余的电影一般会将数字格式的母带制成胶片版保存。这不是本末倒置吗？将来若是 DCP 质量老化，恐怕就来不及了。那时或许已经不存在胶片这种东西，人们不得不急急忙忙成立公司生产胶片，并重新培养相关的技术人员。

到《空气人偶》，我还是用胶片拍摄、用胶片放映，从《奇迹》开始用胶片拍摄，放映基本会转成数字格式。《如父如子》只在一家影院里用胶片放映过。

我个人觉得，胶片和数字的形式都应该保留。放映胶片电影的影院大幅度减少，实在出乎我的预想。

今后的年轻电影人大概不会再说"我想用十六毫米胶片拍摄"、"想用三十五毫米拍摄"了，这样一想，一种落寞的情绪涌上心头。除了八毫米的胶片电影，同时也有录像电影、数字电影、十六毫米和三十五毫米的电影，我觉得应该让这些丰富的电影形式都留存下来。就好比画画，可以自由选择用颜料、蜡笔、彩笔还是炭笔。现在的电影行业就像是因为颜料和画布太贵，所以不画油画，改画只需要在画纸上涂抹颜色的水彩画，这实在令人遗憾。

过去的二十年、未来的二十年

我不是一个喜欢回顾过去的人，但是一旦开始写这本书，不免要回头看看二十年的电影生涯，深深感到自己是多么幸运。

回顾各部作品的观众人数，从《幻之光》到《奇迹》，除了《无人知晓》观影人次特别多，达到一百万人，其余的平均在十五万至三十万人次之间（《奇迹》和《花之武者》的上映规模较大，可能稍微多一点），换算成票房收入的话，则是一点五亿至三亿日元之间。

即使如此，《幻之光》因为在 CINE AMUSE 创下了放映十六周的纪录，所以也盈利了。《下一站，天国》的影院分账虽是赤字，但在北美上映后，与二十世纪福克斯达成了大型的翻拍计划，一下转为黑字。《无人知晓》的利润丰厚，也填补了其他影片的亏空。

刚开始拍电影的时候，我问制作公司 Office Shirous 的代表佐佐木史朗："如何才能一直拍摄独立电影？"他告诉我："制作十部电影，六部亏本，三部持平，只要一部大卖就可以了。"还说，"六部亏本的作品能培养出下一位创作者。"一个导演将来若能拍出一部卖座的片子，那么所谓的赤字也就有存在的意义。在当时的我看来，他的视角与其说是制片人，更像是一位经营者，其实作为导演也是一样吧。

阪本顺治导演也说过："导演打中目标的概率只要有三成就可以。"如果将目标定为百分之百，那只会面临失败，如果目标是十球打中三个安打，那就会越来越接近成功。虽说如此，也并非有了目标，就一定能实现。

说起来，二〇一五年七月，西川美和迎来了四十一岁的生日，当时她对我说："你知道吗，四十一岁就跟《天才傻瓜》中笨蛋波恩的爸爸年纪一样了。""那我五十三岁，跟谁一样呢？"我一问，她回头就查起来："《海螺小姐》中的波平可是五十四哟。"现在人的寿命长了，应该还能活一阵子吧，但是想想五十岁想拍的东西是不是都如愿以偿地拍了，好像也没有。

展望未来的二十年，我要拍什么，又该如何拍呢？

算算大概还能拍十部作品，但尚未实现的构想岂止十部，有些想法估计永远没有实现的可能了，况且今后还会不断产生新的想法。电影导演是一项拼体力的工作，在未来的五六年，我想拍摄只能在五十多岁的年纪才能拍出来的作品。如果做不到，那么同一个题材或许会在六十岁时以不同的视角去拍。在七十岁的老头看来，家庭片或许仍然有很大的拍摄空间吧。

在认真思考这些的同时，我开始了新剧本的创作。

下一部作品，我的视角会从家庭拓展到社会，尝试拍摄法庭故事。《第三度嫌疑人》

注释

[1] —— CNC

法国国家电影中心的简称。该中心用大量资金推出不同类型的资助政策，其中最大的一项是针对电影的自动性资助，是对民间资金进行再分配的一种方式，也是支撑整个法国电影的基石。

[2] —— 山田洋次

电影导演。1931 年生于日本大阪。从东京大学法学系毕业后，进入报社，之后以候补身份加入松竹电影公司。1961 年，执导电影处女作《住在二楼的人》。1968 年，担任富士电视台的电视剧《寅次郎的故事》的导演和编剧，次年将其搬上大银幕。代表作有《家族》《电影天地》《儿子》《远山的呼唤》《黄昏清兵卫》《母亲》《隐剑鬼爪》《武士的一分》《弟弟》《东京家族》《如果和母亲一起生活》《家族之苦》等。

[3] —— 小泉尧史

1944 年生于日本茨城县。从东京写真短期大学（现东京工艺大学）及早稻田大学毕业后，师从黑泽明，28 年间一直担任黑泽明的助理。2000 年，将黑泽明的遗作《雨停了》搬上大银幕，这也是他执导的首部电影，评论界认为他"再现了黑泽明的拍摄技术"。之后陆续执导了《阿弥陀堂讯息》《博士的爱情方程式》《留给明天的遗书》《蜩之记》。

后记 连锁

　　成立制作人团体"分福"已经有整整两年了。主要成员是我以前的助理导演西川美和、砂田麻美，以及曾在 ENGINE FILM 的会长——已故的安田匡裕先生的电影工作室就职的北原荣治，还有曾就职于 TV MAN UNION 的福间美由纪。

　　这样的成员结构可以明显地反映出身为创作者的我这二十五年来的历程和印刻在骨子里的基因，同时也指明了我未来的方向。导演是电影的核心，今后我想发掘更多有才华的导演。通过这股"创造"的能量，聚集更多的人一起工作，并提供一定的保障。TV MAN UNION 的村木先生走了，ENGINE FILM 的安田先生也走了，失去两位父亲之后，我终于明白再也无法受到前辈们的庇护了。或者说我只能这样做。在人生的第二篇章，正是被他们两人的去世推了一把，我才踏上了属于自己的道路。在这两年间，又有七个人加入了分福。

　　说实话，我没有想过要培养新人，或者扛起村木先生和安田先生的重任，而是想将传到自己手里的东西传给下一位。就像锁链上的一环，起着联系他人的作用。相比纵向关系，更接近横向的关系。我没有凭借个人的力量改写历史的自负。意外的是，自己也成了至今已有一百二十个年头的电影历史这条锁链上的一环。看清这一点，我仿佛发现了全新的故乡，被一股不可思议的安心感包围。

本书详细记录了我产生这种安心感的过程。没想到竟写了厚厚一本，不免有点担心。希望有更多的人读到这本书，并因之出现新的工作伙伴（当然不仅限于此），和我一起书写人生的第三篇章。我一边梦想着今后能与他们成为一条"锁链"，连在一起，一边就此搁笔。

最后，还要感谢在长达八年的时间里，为了完成本书，始终耐心陪伴着我的撰稿人堀香织女士，三岛社的星野友里女士、三岛邦弘先生，如果没有他们三人对我文字的肯定、质疑、感想和叹息，书中的文字或许就会像烟云般消散。请容许我对三人的耐心表示最大的感谢。真的谢谢你们。

是枝裕和

二〇一六年五月二十四日

是枝裕和年表
Biography／Filmography

1962 —— 六月六日出生于东京练马区

1971 —— 全家搬至东京清濑市

1987 —— 从早稻田大学毕业，进入 TV MAN UNION

1989 —— 执导首部作品《地球 ZIG ZAG》（TBS）

1991 —— 《但是……在福利削减的时代》《另一种教育——伊那小学春班记录》在 TBS 播放

1992 —— 《公害去往了何处》《我曾经想成为日本人》在 TBS 播放；制作《支撑繁荣的时代——受歧视部落实录》（部落解放研究所）；出版著作《但是……追踪一位福利政策高级官员之死》（AKEBI 书房）

1993 —— 《当电影映照时代：侯孝贤和杨德昌》在富士电视台播放；《印象素描——每个人心中的宫泽贤治》在东京电视台播放

1994 —— 《没有他的八月天》在富士电视台播放

1995 —— 《纪录片的定义》在富士电视台播放；执导首部电影《幻之光》，并于九月在威尼斯电影节上映，十二月公映

1996 —— 《当记忆失去时》在 NHK 播放

1998 —— 《下一站，天国》九月在多伦多电影节上映，翌年四月公映

2001 —— 《距离》五月在戛纳电影节上映，同月公映

2002 —— 《有如走路的速度》在日本电视台播放

2004 —— 《无人知晓》五月在戛纳电影节上映，八月公映

2005 —— 《忘却》在富士电视台播放

2006 —— 《花之武者》六月公映，九月在多伦多电影节上映

2007 —— 《当我年幼时：谷川俊太郎篇》在 NHK 高清频道播放

2008 —— 《或许是那时——对电视来说，"我"是什么》在 TBS
播放；《步履不停》于六月公映；纪录片《祝你平安——
Cocco 的无尽之旅》十二月上映

2009 —— 《空气人偶》五月在戛纳电影节上映，九月公映

2010 —— 《都是萩本钦一的错》在富士电视台播放；电视剧《后日》
在 NHK 高清频道播放

2011 —— 《奇迹》六月公映

2012 —— 电视剧《回我的家》在关西电视台播放

2013 —— 《如父如子》五月在戛纳电影节上映，九月公映

2014 —— 离开 TV MAN UNION，成立制作人团体"分福"

2015 —— 《海街日记》五月在戛纳电影节上映，六月公映

2016 —— 《比海更深》五月在戛纳电影节上映，同月公映

图书在版编目（ＣＩＰ）数据

拍电影时我在想的事／（日）是枝裕和著；褚方叶
译. —— 海口：南海出版公司，2018.11
ISBN 978-7-5442-9404-1

Ⅰ.①拍… Ⅱ.①是… ②褚… Ⅲ.①随笔－作品集
－日本－现代 Ⅳ.①I313.65

中国版本图书馆CIP数据核字(2018)第197199号

著作权合同登记号　图字：30-2018-043

拍电影时我在想的事
〔日〕是枝裕和 著
褚方叶 译

出　　版　南海出版公司　　(0898)66568511
　　　　　海口市海秀中路51号星华大厦五楼　　邮编 570206
发　　行　新经典发行有限公司
　　　　　电话(010)68423599　　邮箱 editor@readinglife.com
经　　销　新华书店

责任编辑　翟明明　刘恩凡
特邀编辑　陈文娟
装帧设计　韩　笑
内文制作　田晓波

印　　刷　北京盛通印刷股份有限公司
开　　本　787毫米×1092毫米　1/32
印　　张　11.25
字　　数　218千
版　　次　2018年11月第1版
印　　次　2019年3月第5次印刷
书　　号　ISBN 978-7-5442-9404-1
定　　价　88.00元

18 坂

46
47 ∏ふ場

19 駅

20 ∏且

1 秋 **29**

48
49 朝の∏景
50
51 梅酒
52

家
(それぞれの場所)

21
22
23 ∏越   朝
24   そば
25
26   決田
27
28

53
54
55 ∏車に
56 よせて
57
58

59
60 登校 す

29 すず 登校   朝
              ∏太

61 病院・掃除
   (はな)
62
12 ∏としい